La increíble historia de...

M

David Walliams

La increíble historia de...
LOS BOCADILLOS DE RATA

Ilustraciones de
Tony Ross

Traducción de
Rita da Costa

montena

Papel certificado por el Forest Stewardship Council®

Título original: *Ratburger*
Séptima edición: octubre de 2016
Tercera reimpresión: diciembre de 2019

Publicado originalmente en el Reino Unido por HarperCollins Children's Books,
una división de HarperCollins Publishers Ltd.

© 2012, David Walliams, por el texto
© 2012, Tony Ross, por las ilustraciones
© 2012, Quentin Blake, por el *lettering* del nombre del autor en la cubierta
© 2013, Penguin Random House Grupo Ediorial, S. A. U.
Travessera de Gràcia, 47-49. 08021 Barcelona
© 2013, Rita da Costa García, por la traducción

Printed in Spain – Impreso en España

ISBN: 978-84-9043-032-3
Depósito legal: B-13.699-2013

Compuesto en Compaginem Llibres, S. L.
Impreso en Limpegraf
Barberà del Vallès (Barcelona)

GT 3 0 3 2 3

Penguin
Random House
Grupo Editorial

Para Frankie,

el chico de la sonrisa maravillosa

Os presento a los personajes de esta historia:

Burt,
el hamburguesero ambulante

Papá, un papá

Zoe, una niña

Sheila,
la madrastra de Zoe

Señor Grave,
el director del cole

Señorita Elianna,
una maestra
pequeñita

Raj, un
quiosquero
grandullón

Tina Trotts, la
abusica de turno

Bizcochito,
un hámster
muerto

Armitage,
una rata viva

1

Aliento de patatas fritas con sabor a cóctel de gambas

El hámster estaba muerto.

Tumbado boca arriba.

Con las patas tiesas.

Muerto.

Con lágrimas en las mejillas, Zoe abrió la jaula.
Le temblaba el pulso y tenía el corazón destrozado.
Mientras dejaba el cuerpecillo suave y peludo de
Bizcochito en la moqueta desgastada, pensó que
nunca más volvería a sonreír.

—¡Sheila! —gritó, tan alto como pudo. Aunque su padre se lo había pedido una y otra vez, se

negaba a llamar «mamá» a su madrastra. Nunca lo había hecho, y se había jurado a sí misma que nunca lo haría. Nadie podría reemplazar a la mamá de Zoe, y la verdad es que su madrastra ni siquiera lo había intentado.

—¡Cierra el pico! ¡Estoy viendo la tele y atiborrándome de patatas! —contestó la mujer con malos modos desde el salón.

—¡Es Bizcochito! —insistió Zoe—. ¡No se encuentra bien!

Por decirlo suavemente.

Una vez, Zoe había visto en la tele una serie de médicos en la que una enfermera reanimaba a un anciano moribundo, así que, desesperada, intentó hacerle el boca a boca al hámster, insuflando aire muy suavemente en su boquita abierta. Pero no funcionó. Tampoco conectar el corazoncito del roedor a una pila AA con un clip. Era demasiado tarde.

El hámster estaba frío al tacto, y su cuerpo se había vuelto rígido.

—¡Sheila! ¡Por favor, ayúdame! —gritó la niña.

Al principio Zoe lloró en silencio, hasta que no pudo más y soltó un alarido tremendo. Solo entonces oyó a su madrastra arrastrar los pies a regañadientes por el pasillo del apartamento, situado en la planta treinta y siete de una torre de pisos inclinada. Sheila resoplaba y jadeaba cada vez que tenía que moverse. Era tan vaga que pedía a Zoe que le hurgara la nariz, aunque esta siempre se negaba, por supuesto. Era capaz de soltar un gemido de esfuerzo hasta cuando cambiaba de canal con el mando de la tele.

—Arf, arf, arf, arf... —resopló Sheila, haciendo estremecer el suelo a su paso.

La madrastra de Zoe era bastante bajita, pero lo compensaba siendo igual de ancha que de alta.

Era, en una palabra, esférica.

Zoe no tardó en darse cuenta de que Sheila estaba en el umbral, pues cegaba la luz del pasillo igual que un eclipse lunar. Además, reconoció el olor dulzón y empalagoso de las patatas fritas con sabor a cóctel de gambas. Su madrastra las adoraba. Hasta presumía de que, siendo pequeña, no quería comer otra cosa y escupía todos los demás alimentos a la cara de su madre. Zoe opinaba que las patatas fritas de bolsa apestaban, y ni siquiera a gambas. Por supuesto, el aliento de Sheila apestaba igual que las patatas.

Incluso entonces, plantada en el umbral, la madrastra de Zoe sostenía una bolsa de las detestables patatas en una mano, y con la otra se las zampaba a puñados mientras observaba la escena. Como siempre, llevaba puesta una larga camiseta blanca mugrienta, unas mallas negras y unas zapatillas afelpadas de color rosa. Los trozos de su piel que quedaban a la vista estaban cubiertos de tatuajes.

Llevaba escritos en los brazos los nombres de sus ex maridos, todos tachados.

—Vaya por Dios... —farfulló la mujer con la boca llena de patatas fritas—. Vaya por Dios, vaya por Dios, qué lástima. Qué disgusto más grande. ¡El pobrecillo ha estirado la pata!

Sheila se inclinó junto a Zoe y observó de cerca el hámster muerto. Mientras hablaba, salpicó la alfombra de trozos medio masticados de patatas fritas.

—Vaya por Dios, qué pena y todo eso que suele decirse... —añadió, con un tono que sonó de todo menos triste.

Justo entonces, un gran trozo de patata frita medio masticada salió volando de la boca de Sheila y aterrizó sobre el hocico suave y peludo de la pobre criatura. En realidad, era una mezcla de patata y saliva.* Zoe lo apartó con delicadeza mientras se le derramaba una lágrima que fue a caer sobre la naricilla rosada y fría de Bizcochito.

—¡Oye, tengo una idea genial! —dijo la madrastra de Zoe—. En cuanto me acabe estas patatas, podemos meter al pequeñajo en la bolsa. Pero yo no pienso tocarlo, te aviso, no sea que me pegue algo.

Sheila levantó la bolsa por encima de su cabeza, la volcó sobre su bocaza abierta y engulló las últimas migajas de patatas fritas con sabor a cóctel de gambas. Luego ofreció la bolsa vacía a su hijastra.

—Aquí tienes. Mételo ahí dentro, rápido. Antes de que me apeste todo el piso.

* El término técnico vendría a ser «escupatatajo».

Zoe tuvo que morderse la lengua ante tamaña injusticia. Si algo apestaba en aquella casa era el aliento a patatas fritas con sabor a cóctel de gambas de su madrastra. Se podría decapar pintura con su halitosis. Era capaz de desplumar a un pájaro con un solo soplo. Según la dirección del viento, su aliento podía olerse a quince kilómetros de distancia.

—No pienso enterrar al pobre Bizcochito en una bolsa de patatas fritas —replicó Zoe—. No sé ni por qué te he llamado. ¡Vete, por favor!

—¡Pues sí que estamos buenos! —contestó la mujer a gritos—. Solo intentaba ayudarte. ¡Mocosa desagradecida!

—¡Pues no me estás ayudando! —gritó Zoe, que seguía dándole la espalda—. ¡Solo vete! ¡Te lo pido por favor!

Sheila salió de la habitación hecha una furia y dio un portazo tan fuerte que del techo cayó un desconchón de yeso.

Zoe oyó como la mujer a la que se negaba a llamar «mamá» regresaba a la cocina, bamboleándose pesadamente, sin duda para abrir otra bolsa de patatas fritas con sabor a cóctel de gambas tamaño familiar y acabar de atiborrarse. La niña quedó sola en su cuartito, acunando al hámster muerto.

Pero ¿cómo había muerto? Zoe sabía que Bizcochito era joven, incluso en años de hámster.

«¿Podría tratarse de un hamstericidio?», se preguntó.

Pero ¿qué clase de persona querría asesinar a un pequeño hámster indefenso?

Bueno, antes de que esta historia llegue a su fin, lo sabréis. Y también sabréis que hay gente capaz de hacer cosas mucho, pero que mucho peores. El hombre más malvado del mundo se esconde entre las páginas de este libro. Seguid leyendo, si os atrevéis...

2

Una niña muy especial

Antes de presentaros a ese individuo tan retorcido, tenemos que volver al principio.

La verdadera mamá de Zoe había muerto cuando ella era un bebé, pero eso no le había impedido seguir llevando una vida muy feliz. Papá y ella siempre habían formado un buen equipo, y él la quería muchísimo. Mientras Zoe estaba en clase, papá se iba a trabajar a la fábrica de helados de la ciudad. Adoraba los helados desde que era un niño, y le encantaba trabajar en la fábrica, aunque tenía que echarle muchas horas y mucho esfuerzo a cambio de poco dinero.

Lo que más ilusión le hacía era crear helados de sabores nunca vistos. Al acabar su turno en la fábrica, volvía corriendo a casa, loco de emoción y cargado con muestras de algún nuevo helado raro y maravilloso para que Zoe fuera la primera en probarlo. Luego informaba a su jefe del resultado de la degustación. Estos eran los sabores preferidos de Zoe:

Sorbete dinamita

Chicle chiflado

Remolino de triple chocolate, nueces y dulce de
    leche

Cucurucho de algodón de azúcar

Natillas caramelizadas

Sorpresa de mango

Gominolas de Coca-Cola

Espuma de plátano y crema de cacahuete

Piña y regaliz

Sorbete explosivo de Peta Zetas

El que menos le gustaba era el helado de caracoles y brócoli. Ni siquiera el padre de Zoe podía conseguir que algo así estuviera rico.

No todos los helados llegaban a las tiendas (el de caracoles y brócoli, desde luego que no), ¡pero Zoe los probaba todos! A veces se daba tales atracones que creía que iba a explotar. Y lo mejor de todo era que, a menudo, era la única niña de todo el mundo que los probaba, lo que la hacía sentirse una niña muy especial.

Solo había un problema.

Al ser hija única, Zoe no tenía a nadie con quien jugar en casa, aparte de su padre, que pasaba muchas horas trabajando en la fábrica. Así que, al cumplir nueve años, al igual que muchos niños, deseaba con todas sus fuerzas tener una mascota. No hacía falta que fuera un hámster, solo necesitaba algo, lo que fuera, que le permitiera dar y recibir cariño. Sin embargo, puesto que vivían en la planta treinta y siete de una torre de pisos inclinada, ese algo tenía que ser forzosamente pequeño.

Y así, el día que Zoe cumplió diez años, como sorpresa, su padre salió más pronto de trabajar y fue a recogerla a la puerta de la escuela. La llevó a caballito —le encantaba ir a caballito desde que era un bebé— y la acompañó hasta la tienda de mascotas del barrio, donde le compró un hámster.

Zoe eligió a la cría de hámster más dulce y suave de todas las que había, y le puso Bizcochito.

Bizcochito vivía en una jaula, en el pequeño cuarto de Zoe. No le importaba que la desvelara por las noches dando vueltas y más vueltas en su rueda. No le importaba que le hubiese mordisqueado el dedo un par de veces mientras le daba trocitos de galleta como recompensa especial. Ni siquiera le importaba que su jaula oliera a pis de hámster.

En pocas palabras, Zoe quería a Bizcochito. Y Bizcochito quería a Zoe.

Zoe no tenía demasiados amigos en el cole. De hecho, los demás chicos solían burlarse de ella por ser bajita y pelirroja y llevar aparatos en los dientes. Una sola de esas cosas hubiese bastado para que le hicieran la vida imposible, pero le había tocado el gordo y las tenía todas.

Bizcochito también era pequeño y pelirrojo, aunque por supuesto no llevaba aparatos en los dientes. Seguramente, de no haber sido un poco canijo y con el pelo tirando a rojo, Zoe no lo habría elegido entre las docenas de bolitas peludas que se acurrucaban entre sí en la vitrina de la tienda. Debió de intuir que eran almas gemelas.

A lo largo de las semanas y meses siguientes, Zoe había enseñado a Bizcochito unos cuantos trucos alucinantes. Por una semilla de girasol, el hámster se ponía de pie sobre las patitas traseras y hacía un baileteo. Por una avellana, Bizcochito daba un salto mortal hacia atrás. Y por un terrón de azúcar, giraba como una peonza tumbado boca arriba en el suelo.

El sueño de Zoe era convertir a su pequeña mascota en una celebridad por ser el primer hámster del mundo que bailaba break-dance.

Quería organizar un pequeño espectáculo por Navidad al que invitaría a todos los niños del bloque de pisos. Hasta había hecho un póster para anunciarlo. Y entonces, un día papá llegó a casa con una noticia muy triste que destrozaría sus vidas para siempre...

3

Nada

—Me he quedado sin trabajo —anunció papá.

—¡No! —exclamó Zoe.

—Van a cerrar la fábrica. Se llevan toda la producción a China.

—Pero encontrarás otro trabajo, ¿verdad que sí?

—Lo intentaré —dijo papá—. Pero no será fácil. Somos muchos buscando el mismo tipo de puesto.

Pronto comprobaron que, en realidad, no es que no fuera fácil, sino que era casi imposible. Al igual que tanta gente que perdió su empleo de la noche a la mañana, papá tuvo que apuntarse al paro. Le pagaban una miseria, apenas lo bastante para sobrevivir. Sin nada que hacer en todo el día, el hombre se fue hundiendo cada vez más. Al principio se pasaba cada día por la oficina de empleo, pero nunca había ninguna oferta de trabajo a menos de ciento cincuenta kilómetros de distancia, y al final cambió la oficina de empleo por el pub. Zoe lo sabía porque estaba bastante segura de que las oficinas de empleo no abrían hasta las tantas de la madrugada.

La niña estaba cada vez más preocupada por su padre. A veces se preguntaba si no habría tirado la toalla. Primero había perdido a su mujer, luego su puesto de trabajo, y daba la impresión de que no tenía fuerzas para seguir adelante.

Cómo iba él a imaginar que las cosas estaban a punto de ir a peor, mucho peor...

Papá había conocido a la madrastra de Zoe cuando más depre estaba. Se sentía solo y ella se había quedado viuda después de que su último marido muriera en un misterioso suceso relacionado con las patatas fritas con sabor a cóctel de gambas. Al parecer, Sheila estaba segura de que el dinero del paro de su décimo marido le permitiría vivir a cuerpo de reina, con pitillos a granel y todas las patatas con sabor a cóctel de gambas que le cupieran en el estómago.

Como la verdadera madre de Zoe había muerto siendo ella un bebé, por mucho que lo intentara, y lo intentaba con todas sus fuerzas, no lograba recordarla. Antes había fotos de mamá por todo el piso. Tenía una sonrisa amable. Zoe se quedaba mirando aquellas fotos e intentaba sonreír igual que ella. Se parecían, eso saltaba a la vista. Sobre todo en la forma de sonreír.

Sin embargo, un día, aprovechando que se había quedado sola en casa, la madrastra de Zoe había hecho desaparecer todas las fotos, que ya daba por «perdidas». Seguramente las había quemado. A papá no le gustaba hablar de mamá porque le entraban ganas de llorar. Pero seguía viva en el corazón de Zoe. Sabía que su verdadera mamá la quería muchísimo. Sencillamente, lo sabía.

Igual que sabía que su madrastra, en cambio, no la quería ni pizca. Que ni siquiera le caía bien. En realidad, estaba bastante segura de que su madrastra la detestaba. En el mejor de los casos, Sheila la trataba como si fuera invisible; en el peor, como si fuera un estorbo. La había oído decir más de una vez que pensaba echarla de casa en cuanto tuviera edad para valerse por sí misma.

—¡No pienso consentir que esa pequeña mocosa siga gorroneándome toda la vida!

Sheila nunca le daba ni un penique, ni por su cumpleaños. Esa Navidad le había regalado un pañuelo de papel usado y luego se había reído en su cara cuando Zoe lo había abierto. Estaba lleno de mocos.

Poco después de que la madrastra de Zoe se mudara al piso, había exigido que se deshicieran del hámster.

—¡Ese bicho apesta! —había chillado.

Sin embargo, tras un largo tira y afloja con muchos gritos y portazos, Zoe había podido conservar a su pequeña mascota.

Pero Sheila la había tomado con Bizcochito. Se quejaba día y noche de que roía el sofá, cuando en realidad eran las ascuas de sus cigarrillos las que hacían aquellos agujeros. Zoe había perdido la cuenta de las veces que la había amenazado con aplastar a ese «bicho asqueroso» si alguna vez lo veía fuera de su jaula.

Sheila también se burlaba de que intentara enseñar break-dance a su hámster.

—Pierdes el tiempo con tonterías. Esa alimaña y tú nunca llegaréis a nada, ¿me oyes? ¡A nada!

Zoe la oía, pero había decidido no escucharla. Sabía que tenía un don especial para los animales, papá siempre se lo había dicho.

De hecho, Zoe soñaba con viajar por todo el mundo con una gran compañía ambulante de animales amaestrados. Algún día se dedicaría a enseñarles grandes hazañas que deleitarían al mundo entero. Hasta había hecho una lista de esos números descabellados:

Una rana que pincha música como nadie

Un galápago rapero

Dos jerbos que hacen baile de salón

Un elefante que
canta ópera

Un burro que hace
trucos de magia

Un ciempiés
que baila claqué

Un grupo pop compuesto exclusivamente
por conejillos de Indias

Una banda de rap callejero formada por tortugas

Un gato que
hace imitaciones
(de famosos gatos de cómic)

Una cerda que
se dedica al ballet

Un gusano hipnotizador

Un número de
funambulismo
con vacas

Una hormiga
ventrílocua

Un topo temerario que se atreve con números increíbles, como salir disparado de un cañón

Una exhibición de kárate con medusas

Un hipopótamo que hace puenting

Zoe lo tenía todo planeado. Con el dinero que sacaría de los espectáculos de animales, su padre y ella podrían irse para siempre de aquella torre de pisos destartalada que parecía a punto de desplomarse. Zoe podría comprarle a su padre un piso mucho más grande, y ella podría retirarse a una enorme casa en medio del campo donde montaría un refugio para mascotas abandonadas. Los animales podrían pasear a sus anchas durante el día y dormir en una cama gigante por la noche. «No hay animal demasiado grande, ni demasiado pequeño. Los queremos a todos por igual» sería el lema que les daría la bienvenida.

Pero entonces llegó el día fatídico en que, al volver de clase, Zoe se encontró a Bizcochito muerto. Y con él murió también su sueño de convertirse en amaestradora de animales.

Bueno, queridos lectores, después de este pequeño viaje al pasado, regresamos al presente y ya podemos seguir adelante con la historia.

Pero ni se os ocurra volver atrás. Eso sería de tontos, y solo serviría para que dierais más vueltas que una peonza, leyendo las mismas páginas una y otra vez. De eso nada. Pasad a la página siguiente y yo me encargaré de retomar el hilo. Venga. Dejad de leer ahora mismo y pasad la página. ¡Ya!

4

Porquerías

—¡Tíralo por el váter! —chilló Sheila.

Zoe estaba sentada en su cama, oyendo la discusión que mantenían su padre y su madrastra al otro lado de la pared.

—¡No! —replicó papá.

—¡Dámelo ya, pedazo de inútil! ¡Ya me encargo yo de tirarlo a la basura!

No era la primera vez que Zoe se sentaba en la cama con un pijama que le venía pequeño y oía a través de las paredes, finas como el papel, a su padre y su madrastra peleándose a gritos mucho después de su hora de irse a dormir. Esa noche discutían por Bizcochito, claro está, que había muerto ese mismo día.

La familia vivía en la planta treinta y siete de un ruinoso bloque de pisos de protección oficial (que estaba inclinado y debería haberse demolido décadas atrás), así que no tenían jardín. Había un viejo parque infantil en la plaza de hormigón que compartían todos los edificios de la finca, pero la pandilla de adolescentes del barrio lo hacía demasiado peligroso para que Zoe se acercara siquiera.

—¿Se puede saber qué miras? —gritaba Tina Trotts a cualquiera que pasara por allí.

Tina era la mandamás de un grupo de abusones que controlaba el bloque. Solo tenía catorce años, pero era capaz de hacer llorar a un hombre hecho y derecho, y a menudo lo hacía. Todos los días lanzaba escupitajos a la cabeza de Zoe desde arriba mientras la niña se iba a la escuela. Y todos los días se reía de su propia ocurrencia, como si fuera lo más gracioso del mundo.

Si la familia de Zoe hubiera tenido un huerto, o incluso un trocito de tierra en cualquier rincón del bloque, habría excavado una pequeña tumba con una cuchara, habría puesto a su amiguito dentro y le habría hecho una lápida con un palito de helado.

Aquí yace Bizcochito,
Un hámster muy querido,
gran bailarín de break-dance
que tampoco le hacía ascos al funk.
Su dueña y amiga Zoe siempre lo echará de menos.
Descanse en paz.*

Pero, por supuesto, no tenían jardín. Nadie lo tenía. Así que lo que hizo Zoe fue envolver al

---

* Habría tenido que buscar un palito de helado larguísimo.

hámster con cuidado en una página de su cuaderno de ejercicios de historia. Cuando por fin su padre regresó del bar, Zoe le entregó el precioso paquetito.

«Papá sabrá qué hacer con él», pensó.

Pero Zoe no había imaginado que su malvada madrastra fuera a entrometerse.

A diferencia de su nueva esposa, papá era alto y delgado. Si ella era como una enorme y pesada esfera, él era como un bolo, y ya sabéis lo que les pasa a los bolos.

Así que papá y Sheila estaban discutiendo en la cocina sobre qué hacer con el paquetito que Zoe le había dado a papá. Oírlos pelear a grito pelado nunca era agradable, pero esa noche le estaba resultando especialmente insufrible.

—Supongo que podría comprarle otro hámster a la pobre niña —osó decir papá—. Se le daba tan bien enseñarle trucos...

La carita de Zoe se iluminó por momentos.

—¿Estás tonto? —se burló su madrastra—. ¡Otro hámster, dice! ¿Y de dónde sacarás el dinero para comprarlo, si eres tan inútil que ni siquiera encuentras trabajo?

—No encuentro trabajo porque no lo hay —se defendió papá.

—Lo que pasa es que eres demasiado vago para buscarte la vida. Pedazo de inútil.

—Estoy dispuesto a intentarlo, por Zoe. Quiero a mi hija por encima de todas las cosas. Podría intentar ahorrar una parte del dinero del paro...

—¡Con esa miseria apenas puedo pagarme las patatas con sabor a cóctel de gambas, y mucho menos alimentar a una alimaña!

—Podríamos darle las sobras —replicó papá.

—¡No pienso dejar entrar en mi piso a otra de esas criaturas asquerosas! —le advirtió la mujer.

—No es una criatura asquerosa. ¡Es un hámster!

—Los hámsters son igualitos que las ratas —continuó Sheila—. ¡Peores aún! Me paso el día limpiando para tenerlo todo como los chorros del oro.

«¡Menudo morro le echa —pensó Zoe—, si el piso está hecho una pocilga!»

—¡Para que luego ese bicho repugnante vaya por toda la casa haciendo sus porquerías! —continuó Sheila— Y hablando de eso, podrías afinar la puntería cuando vas al váter.

—Lo siento.

—¿Cómo lo haces? ¿Te pones un aspersor en la punta del ya sabes qué?

—Baja la voz, ¿quieres?

Zoe comprobó una vez más, por las malas, que escuchar las conversaciones de tus padres puede ser un juego muy peligroso. Siempre acabas enterándote de cosas que hubieses preferido no saber. Además, Bizcochito no iba por toda la casa haciendo sus porquerías. Zoe se encargaba de recoger con un trozo de papel higiénico y tirar al váter cualquier cagarruta que pudiera haber dejado en sus carreras secretas por la habitación.

—Entonces llevaré la jaula a la casa de empeños —dijo papá—. Puede que me den unas pocas libras por ella.

—Ya me encargo yo de eso —replicó la mujer al instante—. Tú seguro que te lo fundirías todo en el pub.

—Pero...

—Y tira esa porquería a la basura de una vez por todas.

—Le prometí a Zoe que lo enterraría como está mandado, en el parque. Quería mucho a Bizcochito. Hasta le había enseñado trucos.

—Sí, y eran para morirse de risa. ¡Para morirse! ¿Dónde se ha visto un hámster que baila breakdance? ¡Tonterías, nada más que tonterías!

—¡Eso no es justo!

—Y tú no vuelves a salir esta noche. No me fío de ti. Volverías a meterte en el pub.

—Ha cerrado ya.

—Conociéndote, seguro que te quedas esperando en la puerta hasta que abra otra vez por la mañana. ¡Venga, dámelo de una vez!

Zoe oyó la tapa del cubo de basura abriéndose con un pisotón de su madrastra, y luego el ruido sordo de algo cayendo en su interior.

Con lágrimas rodándole por la cara, Zoe se acostó en la cama y se tapó con el nórdico. Se apoyó sobre el lado derecho. En la penumbra, se quedó mirando la jaula, como solía hacer todas las noches.

Era desesperante verla vacía. Cerró los ojos pero no podía dormir. Tenía un nudo en la garganta, y la cabeza le daba vueltas sin parar. Estaba triste, estaba enfadada, estaba triste, estaba enfadada. Se dio la vuelta hacia el otro lado. Tal vez le resultara un poco más fácil conseguir quedarse dormida de cara a la pared mugrienta que mirando la jaula vacía. Volvió a cerrar los ojos, pero no podía dejar de pensar en Bizcochito.

Y no es que resultara fácil pensar con el ruido que llegaba del piso de al lado. Zoe no sabía quién vivía en él —los vecinos del bloque no se llevaban demasiado bien entre sí—, pero casi todas las noches los oía chillar. Daba la impresión de que era un hombre que le gritaba a su hija, que a menudo lloraba, y Zoe sentía mucha lástima por ella, fuera quien fuese. Por mala que le pareciera su vida, la de aquella pobre chica sonaba todavía peor.

Zoe se encerró en sí misma y no tardó en quedarse dormida y en soñar que Bizcochito bailaba break-dance en el cielo...

5

Cagarrutas

A la mañana siguiente, Zoe se fue al cole de mala gana, más aún que de costumbre. Bizcochito había muerto, y con él sus sueños. Cuando salía del edificio, Tina le lanzó un escupitajo a la cabeza, como siempre. Mientras se lo limpiaba del pelo escarolado con una hoja arrancada de un cuaderno de ejercicios, Zoe vio a papá agachado en un minúsculo trocito de hierba.

Parecía estar excavando con las manos.

Cuando ella se acercó, el hombre se dio la vuelta bruscamente, como si lo hubiese pillado por sorpresa.

—Ah, hola, cariño...

—¿Qué estás haciendo? —preguntó Zoe.

Se inclinó un poco, para ver qué se traía entre manos, y vio en el suelo el paquete que contenía el cadáver de Bizcochito, junto a un pequeño montón de tierra.

—No se lo digas a tu madre...

—¡Madrastra!

—No se lo digas a tu madrastra, pero rescaté al pequeñín del cubo de la basura...

—Oh, papá...

—Sheila sigue durmiendo a pierna suelta, no hay más que ver cómo ronca. No creo que se haya dado cuenta. Sé lo mucho que querías a Bizcochito, y yo solo quería darle..., ya sabes, un entierro digno.

Zoe sonrió por un instante, pero, sin saber muy bien cómo, se encontró llorando al mismo tiempo.

—Muchas gracias, papá...

—Pero ni una palabra de esto a Sheila, o me despellejará vivo.

—Sí, claro.

Zoe se arrodilló a su lado, cogió a Bizcochito y lo depositó en la tumba que su padre había excavado.

—Hasta he traído uno de estos para hacerle una lápida. Es un viejo palito de helado de la fábrica.

Zoe sacó del bolsillo un bolígrafo mordisqueado y garabateó «Bizcochito» a lo largo del palo, pero se quedó corta de espacio, así que solo pudo escribir:
BIZCOCHI.

Papá cubrió el agujero con tierra, y luego se pusieron los dos en pie y contemplaron la pequeña sepultura.

—Gracias, papá. Eres el mejor...

En ese momento era él quien lloraba.

—¿Qué pasa? —preguntó Zoe.

—No soy el mejor. Lo siento mucho, Zoe. Pero encontraré trabajo algún día. Sé que lo haré...

—Papá, lo del trabajo da igual. Solo quiero que seas feliz.

—No quiero que me veas así...

Papá empezó a alejarse. Zoe le tiró del brazo, pero él se zafó de un tirón y se encaminó al bloque de pisos.

—Ven a recogerme al salir de clase, papá. Podemos ir al parque, y podrías llevarme a caballito. Siempre me ha encantado ir a caballito. Y es gratis.

—Lo siento, estaré en el pub. Que te lo pases bien en clase —gritó él, sin mirar atrás. Ocultaba su tristeza a Zoe, como siempre.

A la niña le sonaban las tripas de hambre. La noche anterior no habían cenado, porque Sheila había gastado todo el dinero del paro en tabaco y no había nada que comer en la casa. Zoe llevaba mucho tiempo sin probar bocado, así que, de camino al cole, pasó por el quiosco de Raj.

Todos los chicos del cole iban al quiosco de Raj antes o después de clase. Como Zoe nunca tenía dinero, se limitaba a entrar en la tienda y mirar las chuches con dientes largos. Raj, que era un buenazo, se compadecía de ella y a menudo le regalaba alguna chuchería. Solo de las caducadas, o de las que empezaban a tener una punta de moho, pero Zoe se lo agradecía de todos modos. A veces le dejaba dar un chupetón rápido a un caramelo de menta y luego le pedía que lo escupiera para volver a meterlo en la bolsa y vendérselo a otro cliente.

Esa mañana Zoe estaba más hambrienta que nunca, y esperaba que Raj le echara una mano...

¡TILÍN!, hizo la campana de la puerta al abrirse.

—¡Vaya, señorita Zoe! Mi clienta preferida.

Raj era un hombre grandullón y alegre que nunca perdía la sonrisa, así le dijeran que su tienda estaba ardiendo.

—Hola, Raj —saludó Zoe tímidamente—. Me temo que hoy tampoco tengo dinero.

—¿Ni un solo penique?

—Nada. Lo siento.

—Vaya por Dios. Pero pareces hambrienta, desde luego. ¿Qué tal un mordisco rápido a una chocolatina de estas?

Cogió una chocolatina y abrió el envoltorio.

—Intenta comerte solo los bordes, por favor. Así puedo volver a guardarla y ponerla de nuevo a la venta. ¡El próximo cliente nunca lo sabrá!

Zoe atacó la chocolatina con ansia, mordisqueando los bordes con las paletas como si fuera un pequeño roedor.

—Te veo muy triste, pequeña —dijo Raj. Cuando las cosas iban mal, se daba cuenta enseguida y podía ser mucho más comprensivo que algunos padres y profesores—. ¿Has estado llorando?

Zoe apartó los ojos de la chocolatina un instante. Aún los tenía húmedos.

—No, Raj. Estoy perfectamente. Hambrienta, eso sí.

—De eso nada, señorita Zoe. Sé que algo va mal.

Se inclinó sobre el mostrador y le dedicó una sonrisa de ánimo.

Zoe soltó un profundo suspiro.

—Mi hámster ha muerto.

—Vaya, señorita Zoe, cuánto lo siento.

—Gracias.

—Pobrecillo. Hace unos años tuve una mascota, un renacuajo, y también se me murió, así que sé cómo te sientes.

Zoe no pudo ocultar su sorpresa.

—¿Un renacuajo?

Nunca había oído hablar de nadie que tuviera un renacuajo como mascota.

—Sí, se llamaba Poppadom. Una noche lo dejé nadando en su pecerita y cuando me desperté al día siguiente había una rana en su lugar. ¡La muy malvada debió de comerse a Poppadom!

Zoe no podía creer lo que escuchaba.

—Raj...

—¿Sí? —El quiosquero se secó una lágrima con la manga del cárdigan—. Lo siento, siempre me pongo bastante sentimental cuando me acuerdo de Poppadom.

—Raj, los renacuajos se convierten en ranas.

—¡No digas tonterías, niña!

—Que sí. Esa rana era Poppadom.

—Solo lo dices para que me sienta mejor, pero yo sé que no es verdad. —Zoe puso los ojos en blanco—. Venga, háblame de tu hámster...

—Es... quiero decir, era muy especial. Le ense-
ñé a bailar break-dance.

—¡Uau! ¿Cómo se llamaba?

—Bizcochito —contestó Zoe, abatida—. Mi
sueño era conseguir que algún día saliera por la
tele...

Raj pensó unos instantes, y luego la miró directamente a los ojos.

—Nunca renuncies a tus sueños, jovencita.

—Pero Bizcochito ha muerto...

—Sí, pero eso no significa que tu sueño tenga
que morir también. Los sueños nunca mueren. Si
has conseguido enseñar a un hámster a bailar break-
dance, señorita Zoe, imagina hasta dónde podrías
llegar...

—Supongo...

Raj miró el reloj.

—Me encantaría quedarme aquí de cháchara contigo todo el día, pero no puede ser.

—¿No?

Zoe adoraba a Raj, aunque no supiera que los renacuajos se convierten en ranas y nunca quisiera salir de su tenducha abarrotada.

—Será mejor que te vayas al cole, jovencita. No querrás llegar tarde...

—Supongo que no... —contestó Zoe a regañadientes. A veces se preguntaba por qué no se saltaba las clases, como hacían tantos otros compañeros suyos.

Raj le hizo señas con sus grandes manos.

—Bien, señorita Zoe, devuélveme la chocolatina, si eres tan amable, para que pueda volver a ponerla a la venta...

Zoe se miró las manos. Había desaparecido. Tenía tanta hambre que la había devorado casi por completo. Solo quedaba un cuadradito.

—Lo siento muchísimo, Raj. ¡No lo he hecho queriendo, te lo prometo!

—Lo sé, lo sé —contestó el amable quiosquero—. Tú vuelve a ponerla en el envoltorio. ¡Puedo venderla como una chocolatina especial de régimen a alguien que esté gordo, como yo!

—¡Buena idea! —exclamó la niña.

Zoe se dirigió a la puerta, pero antes de salir se volvió hacia el quiosquero.

—Gracias, por cierto. No solo por la chocolatina, sino también por el consejo.

—Invita la casa, a lo uno y a lo otro, siempre que quieras, señorita Zoe. Y ahora vete, vamos...

Las palabras de Raj no paraban de resonar en la cabeza de Zoe mientras estaba en el cole, pero cuando volvió a casa notó de nuevo aquel vacío. Bizcochito se había ido. Para siempre.

Los días fueron pasando, y después las semanas, y los meses. Zoe nunca olvidaría a Bizcochito.

Había sido una mascota muy especial. Y le había dado muchas alegrías en un mundo lleno de sufrimiento. Desde que había muerto, Zoe tenía la sensación de estar en medio de una tormenta. Muy poco a poco, a medida que pasaban los días y las semanas, los nubarrones se iban retirando, pero el sol no había vuelto a salir todavía.

Hasta que una noche, meses después, ocurrió algo completamente inesperado.

Zoe estaba tumbada en la cama tras otro día insufrible en el cole por culpa de los abusones de turno, y en particular de la terrible Tina Trotts. Al otro lado de la pared de su habitación se oían gritos, como de costumbre. Y entonces, en un momento de silencio, le pareció oír un sonido muy leve. Tan leve que al principio era casi imperceptible, pero luego se fue haciendo cada vez más sonoro.

Era como un mordisqueo.

«¿Estaré soñando? —se preguntó Zoe—. ¿Estaré teniendo uno de esos extraños sueños en los que me veo tumbada en la cama pero despierta?» Abrió los ojos. No, no estaba soñando.

Había algo moviéndose por su habitación, algo pequeño.

Por un momento Zoe se preguntó si sería el fantasma de Bizcochito. Últimamente encontraba lo que parecían cagarrutas en su habitación. «Venga, no digas tonterías —se había dicho a sí misma—. Serán bolas de pelusa un poco raras, nada más».

Al principio no vio más que un bultito borroso en un rincón, cerca de la puerta. Se levantó de la cama y se acercó de puntillas para verlo más de cerca. Era pequeño, parecía sucio y apestaba un poco. Los polvorientos tablones del suelo crujieron levemente bajo los pies de Zoe.

El bultito se dio la vuelta.

Era una rata.

6

Ra-ta-ta-ta-tá

Cuando pensáis en la palabra «rata», ¿qué es lo primero que os viene a la cabeza?

Rata... ¿Bicho asqueroso?

Rata... ¿Alcantarilla?

Rata... ¿Enfermedad?

Rata... ¿Mordedura?

Rata... ¿Plaga?

Rata... ¿Veneno?

Rata... ¿ta-ta-tá?

Las ratas son los seres vivos más odiados del planeta.

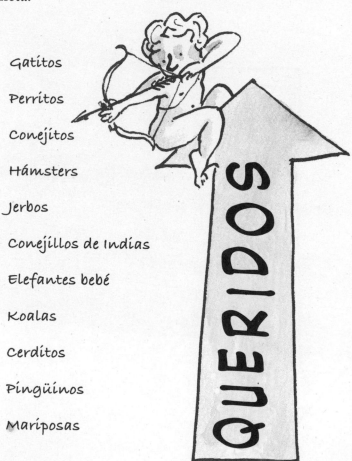

Gatitos

Perritos

Conejitos

Hámsters

Jerbos

Conejillos de Indias

Elefantes bebé

Koalas

Cerditos

Pingüinos

Mariposas

Babosas

Arañas

Ortigas

Avispas

Gusanos

Medusas

Pedos

Dentistas

Ratas

Pero ¿y si os dijera que lo que Zoe encontró en su habitación esa noche era una rata bebé?

Pues sí, era la ratita más mona, adorable y pequeñita que os podáis imaginar, y estaba acurrucada en aquel rincón, mordisqueando uno de sus calcetines sucios y agujereados.

Tenía una naricilla rosada y temblorosa, las orejas cubiertas de suave pelusa y dos enormes, dulces y esperanzados ojos. Vamos, que habría ganado de calle el primer puesto en un concurso de belleza de ratas. Aquello explicaba las misteriosas cagarrutas que Zoe había encontrado en su habitación. Debió de hacerlas la ratita.

Yo no fui, eso seguro.

Zoe siempre había pensado que le daría un patatús si alguna vez veía una rata. Su madrastra hasta tenía veneno para ratas en la cocina, porque se decía que había una plaga de roedores en el cochambroso bloque de pisos.

Pero esta rata no parecía demasiado aterradora. En realidad, parecía aterrada. Cuando el tablón del suelo crujió bajo los pies de Zoe, echó a correr pegada a la pared y fue a esconderse debajo de la cama.

—No tengas miedo, chiquitina —susurró Zoe. Despacio, metió la mano debajo de la cama para intentar acariciarla. El animal se estremeció de miedo y se le puso el pelo de punta.

—Tranquila, tranquila... —dijo Zoe con voz dulce.

Poco a poco, la ratita se abrió paso entre las bolas de pelusa, el polvo y la porquería que había debajo de la destartalada cama de Zoe y se acercó a su mano. Le olisqueó los dedos antes de lamer primero uno, luego el otro. Sheila era demasiado vaga para cocinar, y Zoe tenía tanta hambre que le había robado una bolsa de sus asquerosas patatas con sabor a cóctel de gambas para cenar. El animal debió de olerlas en sus dedos, y aunque Zoe no era nada aficionada al aperitivo, que de gamba no tenía nada, y mucho menos de cóctel, a la rata no pareció importarle.

Se le escapó una risita. La rata le hacía cosquillas con sus dientecillos. Levantó la mano para acariciarla, pero el animal se encogió y salió disparado hasta la otra punta de la habitación.

—Tranquila, tranquila. Venga, solo quiero acariciarte —suplicó Zoe.

La rata la miró de reojo, como si no las tuviera todas consigo, hasta que tímidamente, pasito a pasito, se acercó otra vez a su mano. Zoe le pasó un dedo por el lomo con mucha delicadeza. Tenía el pelo más sedoso de lo que había imaginado. No tanto como el de Bizcochito: no había nada en el mundo tan suave como él. Pero aun así sorprendentemente suave.

Uno a uno, los dedos de Zoe se posaron sobre el cuerpo del animal, y al poco le acariciaba la ca-

beza. Dejó que sus dedos se deslizaran por el cue-
llo y la espalda de la ratita, que arqueó la columna
para acoplarse a su mano.

Seguro que nadie la había tratado nunca con
tanto cariño. Por lo menos, ningún ser humano.
No solo había bastante veneno antirratas en el
mundo para matar diez veces a todas y cada una de
las ratas que existían, sino que, además, cada vez que
alguien veía una rata, lo normal era que se pusiera a
chillar o cogiera una escoba para atizarla con ella.

Pero en ese momento, con esa pequeñiña delante, Zoe no entendía por qué iba nadie a querer hacerle daño.

De pronto, las orejillas de la rata se pusieron muy tiesas y Zoe giró la cabeza bruscamente. La puerta de la habitación de sus padres se había abierto, y oyó a su madrastra avanzando a trancas y barrancas por el pasillo, resoplando a cada paso. Sin pensárselo dos veces, cogió a la rata, la escondió entre sus manos ahuecadas y volvió a meterse en la cama de un salto. Sheila se pondría histérica si se enteraba de que su hijastra había metido una rata en la cama. Zoe cogió el nórdico entre los dientes y se escondió bajo las sábanas. Esperó, atenta. La puerta del baño chirrió al abrirse y cerrarse de nuevo, y Zoe oyó el ruido sordo de su madrastra dejándose caer pesadamente en el asiento agrietado del váter.

Soltó un suspiro y abrió las manos. La ratita estaba a salvo. De momento. La dejó corretear por sus manos y posarse en la parte de arriba de su harapiento pijama.

—Besito, besito, besito. —Zoe chasqueó los labios suavemente, imitando el sonido de un beso, tal como solía hacer con Bizcochito. Y, tal como este solía hacer, la ratita se acercó a su cara.

Zoe le plantó un besito en la nariz. Con el puño hizo un pequeño hoyo en la almohada, al lado de su cabeza, donde posó a la ratita con cuidado. Encajaba a la perfección, y no tardó en oírla roncar muy flojito a su lado.

Por si nunca habéis oído roncar a una rata, suena así:

Zzzzzzzzzzzzzzzzzzzzzzzzz zzzzzzzzzzzzz zzzzzzzzzz zzzzzzzzzzzzzzzzzz.

—¿Cómo demonios voy a impedir que te descubran? —susurró Zoe.

7

Cómo colar a una mascota en el cole

Colar a una rata en el cole no es tarea fácil.

El animal más difícil de colar en clase es, por supuesto, la ballena azul. Demasiado grande y resbaladiza.

Los hipopótamos tampoco suelen pasar inadvertidos, igual que las jirafas. Demasiado gordos y altas, respectivamente.

Los leones son poco recomendables. Sus rugidos los delatan.

Las focas hacen mucho escándalo. Igual que las morsas.

Las mofetas huelen fatal, peor incluso que algunos profesores.

El problema de los canguros es que no paran de botar.

El cagaaceite* suena de lo más grosero.

Los elefantes tienen cierta tendencia a romper las sillas.

Un avestruz te llevará al cole en un periquete, pero es demasiado grande para esconderlo en la mochila.

Los osos polares se camuflan la mar de bien en los glaciares del Ártico, pero cantan como una almeja en la cola del comedor.

* El cagaaceite es un pájaro insectívoro de la familia del tordo. Lo digo por si pensabais que me lo había inventado solo por hacer un chiste fácil. ¡Como si yo fuera capaz de algo así!

Colar a un tiburón en la escuela te costaría la suspensión inmediata, sobre todo si lo haces en clase de natación. Tienen cierta propensión a devorar niños.

Los orangutanes tampoco son buena idea. Suelen alborotar mucho en clase.

Los gorilas son peores aún, sobre todo en clase de mates. No son muy buenos haciendo cálculos mentales y detestan las sumas, aunque el francés se les da de fábula.

Es casi imposible meter un rebaño de ñus en el cole sin que algún profe se dé cuenta.

Con las liendres, en cambio, la cosa está chupada. Hay niños que se llevan miles de liendres al cole cada día.

Una rata sigue siendo un animal difícil de colar en clase. En una escala de dificultad, estaría entre la ballena azul y la liendre.

El problema era que Zoe no podía dejar a la pequeñina en casa. No quedaba ni rastro de la vieja y desvencijada jaula de Bizcochito, que su madrastra había llevado a la casa de empeños. La muy bruja la había cambiado por un puñado de monedas con las que había comprado una caja familiar de patatas fritas con sabor a cóctel de gambas. Treinta y seis bolsas de patatas fritas que se había zampado antes del desayuno.

Si Zoe dejaba a la ratita suelta por el piso, Sheila la envenenaría, o la aplastaría de un pisotón, o las dos cosas. La madrastra de Zoe no ocultaba su odio hacia todos los roedores. Y aunque escondiera al animalito en un cajón de su dormitorio, o en una caja debajo de la cama, siempre cabía la posibilidad de que Sheila la encontrara. Zoe sabía que su madrastra solía hurgar entre sus cosas mientras estaba en clase. Buscaba algo que pudiera vender o cambiar por un par de pitillos, o por otra bolsa de patatas fritas con sabor a cóctel de gambas.

Un día todos sus juguetes habían desaparecido sin dejar rastro, otro día les había llegado el turno a sus adorados libros. Era sencillamente demasiado peligroso dejar a la ratita sola en el piso con aquella mujer.

Zoe podía haber metido a la ratita en su mochila del cole, pero era tan pobre que tenía que llevar los libros en una vieja bolsa de plástico con parches de celo pegajoso. No podía arriesgarse a que el pequeño roedor le abriera un agujero con los dientes y se escapara, así que lo escondió en el bolsillo superior de su chaqueta del uniforme, que le venía dos tallas grande. Sí, notaba cómo se retorcía sin parar, pero por lo menos sabía que estaba a salvo.

Cuando Zoe salía del vestíbulo del edificio al patio comunitario de hormigón, oyó que alguien gritaba:

—¡Zoe!

Miró hacia arriba.

Grave error.

Un enorme escupitajo le aterrizó de lleno en la cara. Zoe vio a Tina Trotts asomada a la barandilla de la escalera, varias plantas más arriba.

—¡JA, JA, JA! —se carcajeó Tina.

Zoe se negó a llorar. Se limitó a limpiarse la cara con la manga y se dio la vuelta mientras la risa de Tina seguía resonando allá arriba. En otro momento seguramente habría llorado, pero notó a la ratita moviéndose en su bolsillo y se sintió mejor enseguida.

«Ahora vuelvo a tener una mascota —pensó—. Puede que no sea más que una rata, pero no está mal para empezar...»

A lo mejor Raj tenía razón: su sueño de adiestrar a un animal para que actuara delante de todo el país no había muerto, pese a todo.

La compañía de la ratita siguió siendo un consuelo para Zoe cuando llegó al cole. Era su primer año en secundaria, y aún no había hecho un solo amigo. La mayor parte de los chicos eran pobres, pero ella se llevaba la palma. Se avergonzaba de tener que ir a clase con ropa de segunda mano sin lavar. Ropa que siempre le venía demasiado grande o demasiado pequeña, casi toda hecha jirones. La suela de caucho de su zapato izquierdo estaba a punto de desgajarse y chancleteaba contra el suelo a cada paso que daba.

FLIP FLOP, FLIP FLOP, FLIP FLOP, hacían sus zapatos cuando caminaba.

FLIP FLIP FLOP, FLIP FLIP FLOP, FLIP FLIP FLOP, FLIP FLIP FLOP, hacían cuando corría.

En la reunión de alumnos y profesores, después de que se anunciara un concurso de talentos que tendría lugar a final de curso, el pálido señor Grave, que era el director de la escuela, subió al escenario para tomar la palabra. Se colocó en el centro del estrado, mirando sin pestañear a los cientos de alumnos que se habían reunido en el salón de actos. Todos los niños lo temían. Como tenía los ojos saltones y siempre estaba blanco como la cera, entre los alumnos más jóvenes circulaba el rumor de que en realidad era un vampiro.

El señor Grave lanzó una advertencia a los «estudiantes desobedientes» que, desafiando las normas de la escuela, habían ido a clase con el teléfono móvil. Eso incluía a casi todo el mundo, aunque Zoe no podía ni soñar con tener un móvil.

· «Genial —pensó—. ¡No estoy en la onda ni cuando nos abroncan!»

—¡Huelga decir que no me refiero solo a los teléfonos! —tronó el señor Grave, como si hubiese leído el pensamiento de Zoe. Su vozarrón se hacía oír por encima del jaleo del patio a la hora del recreo y conseguía que todos los alumnos enmudecieran al instante—. ¡Cualquier cosa que pite o vibre queda estrictamente prohibida! ¿Me habéis oído? —preguntó con aquella voz de ultratumba—. ¡Prohibida! Eso es todo. Podéis retiraros.

En ese momento sonó la campana y los chicos se fueron a clase de mala gana. Sentada en una incómoda silla de plástico gris en una de las últimas y solitarias filas del salón de actos, Zoe se preguntó si su rata encajaba en la descripción del señor Grave. Lo que es vibrar, vibraba, desde luego. Y a veces también pitaba. O por lo menos chirriaba.

—Estate calladita, chiquitina —le dijo.

La ratita soltó un agudo chillido.

«¡Oh, no!», pensó Zoe.

8

Sándwich de pan

Para que la marabunta no la zarandeara al salir del salón de actos, Zoe esperó un poco y luego se fue tranquilamente a su primera clase. Por increíble que parezca, la clase de matemáticas, que siempre le parecía mortalmente aburrida, transcurrió sin novedad. Igual que la de geografía, donde se preguntó si todo lo que había aprendido sobre los lechos de los ríos le serviría de algo cuando fuera mayor. De vez en cuando, Zoe echaba un vistazo al bolsillo de la chaqueta y comprobaba que la ratita seguía durmiendo. Debía de gustarle echarse una buena siesta.

En el recreo, Zoe se encerró en un excusado de los lavabos de chicas y le dio a la rata parte del pan que había llevado para su propio almuerzo. Por lo general, se preparaba un sándwich con cualquier resto de comida que hubiera en la casa, pero aquella mañana no quedaba absolutamente nada en la nevera aparte de unas pocas latas de cerveza, así que se hizo un sándwich de pan con pan juntando unas pocas rebanadas resecas que encontró en un rincón...

La receta era sencilla:

SÁNDWICH DE PAN

Ingredientes: tres rebanadas de pan de molde. Instrucciones: se toma una rebanada de pan y se pone entre las otras dos.

Fin.*

---

* Mi nuevo libro de cocina, *101 maneras de preparar un sándwich de pan*, saldrá a la venta el año que viene.

Como era de esperar, a la rata le gustó el pan. Les gusta casi todo lo que comemos los humanos.

Zoe se sentó en la tapa del váter y la ratita se posó en su mano izquierda mientras ella le daba de comer con la derecha. No dejó ni una migaja.

—Aquí tienes, chiquitina...

En ese momento, Zoe se dio cuenta de que aún no le había puesto nombre a su amiguita. A menos que se le ocurriera un nombre que valiera para los dos sexos, primero tendría que averiguar si era chico o chica. Así que la cogió con cuidado para salir de dudas. Justo cuando intentaba inspeccionar sus partes, un delgado chorro de líquido amarillo salió disparado desde un poco más abajo de la barriguita de la rata, casi mojó a Zoe y acabó regando la pared.

Más claro, agua. Zoe estaba convencida de que el pipí había salido de un diminuto pitorrillo, aunque era imposible comprobarlo, porque la rata no paraba de removerse entre sus manos.

Pero estaba segura de que era un chico.

Zoe miró hacia arriba en busca de inspiración. En la puerta del excusado, algunas chicas mayores habían grabado frases groseras con la punta de un compás.

«¡¡¡¡¡¡Destiny es una @**$$$$&!%^!%!!!!!!», leyó Zoe, y creo que todos estaremos de acuerdo en que es algo muy feo de decir, aunque fuera verdad.

«Destiny» habría sido un nombre de lo más tontorrón para una rata. Sobre todo tratándose de una rata macho, pensó la niña. Siguió leyendo los nombres garabateados en la puerta, por si le gustaba alguno.

Rochelle... no.

Darius... no.

Busta... no.

Tupac... no.

Jammaall... no.

Snoop... no.

Meredith... no.

Kylie... no.

Beyonce... no.

Tyrone... no.

Chantelle... no.

Pese a estar repleta de palabras (y algún que otro dibujo obsceno), la puerta del lavabo no daba mucho de sí como fuente de inspiración. Se levantó del asiento del váter y se dio la vuelta para tirar de la cadena, pues oía a alguien en el excusado de al lado y no quería levantar sospechas. En ese momento vio algo escrito con letra estilizada entre las manchas incrustadas en la taza del váter.

«Armitage Shanks», leyó en voz alta. Era el nombre del fabricante de sanitarios, pero las orejillas de la rata temblaron cuando lo dijo, como si lo hubiese reconocido.

—¡Armitage! ¡Eso es! —exclamó Zoe. Sonaba elegante y refinado, tal como se merecía un pequeñín tan especial.

De pronto, algo golpeó con fuerza la puerta del excusado.

¡PAM!
¡PAM, PAM!
¡PAM, PAM!

—¿Qué escondes ahí dentro, piltrafa? —preguntó una voz gutural.

«¡Oh, no! —pensó Zoe—. Es Tina Trotts.» En su carita pecosa aún quedaban rastros del escupitajo que le había lanzado esa mañana.

Tina solo tenía catorce años, pero parecía un camionero: grandes manos para golpear, grandes pies para dar patadas, una gran cabeza para dar topetazos y un gran culo para aplastar cualquier cosa.

Hasta los profes le tenían miedo. Dentro del excusado, Zoe temblaba de puro pánico.

—Aquí no hay nadie —dijo.

«¿Por qué habré dicho eso?», pensó al instante. El mero hecho de decir que no había nadie allí

dentro era la prueba indudable, evidente, de que sí había alguien.

Zoe corría un peligro tremendo, pero solo si abría la puerta. De momento, estaba a salvo dentro del...

—¡Sal del cagadero ahora mismo o tiro la puerta abajo! —amenazó Tina.

Vaya por Dios.

9

Una sola zapatilla

Zoe volvió a meter a Armitage en el bolsillo de la chaqueta a toda prisa.

—¡Estoy haciendo pipí! —dijo.

Entonces frunció los labios y sopló, haciendo un sonido bastante lamentable con el que pretendía imitar un chorro de agua. Pero la verdad es que se parecía más al silbido de una serpiente.

Pppppppppppppppppsssssssssssssssss sssssssssssssssssssssssssssssssssssssss..............

La esperanza de Zoe era convencer a Tina de que estaba usando el excusado para fines legítimos, y no para dar de comer a un roedor de cola larga.

Cogió aire y abrió la puerta del excusado. Tina se la quedó mirando fijamente, flanqueada por dos de sus compinches habituales.

—Hola, Tina —dijo Zoe con un tono de voz bastante más agudo de lo que hubiese deseado. Tenía la sensación de que, al hacerse la inocente, parecía estar ocultando algo terrible.

—¡Ah, así que eras tú! ¿Con quién estabas hablando, Boca Chatarra? —preguntó Tina, asomándose al interior del excusado.

—Conmigo misma —contestó Zoe—. La verdad es que suelo hablar sola mientras hago mis necesidades...

—¿Tus qué?

—Hum... mientras hago pipí. Si no os importa, tengo que ir a clase de historia... —La pequeña pelirroja intentó pasar entre Tina y sus forzudas.

—No tan deprisa —dijo la grandullona—. Nosotras mandamos en los lavabos. Desde aquí hacemos nuestros trapicheos, así que, a menos que quieras comprar una zapatilla robada, ¡ya te estás dando el piro!

—Querrás decir un par de zapatillas, ¿no? —preguntó Zoe.

—No. Quiero decir una zapatilla. Solo ponen una en los expositores, así que es mucho más fácil birlar una sola que el par.

—Hummm... —contestó Zoe. No tenía muy claro por qué iba a querer nadie con dos pies comprar un solo zapato.

—Escucha, Pelo Panocha —continuó la abusona—. No te queremos ver en nuestros lavabos, ¿me oyes? Nos espantas a la clientela con esa manía de hablar sola, como si no estuvieras bien de la azotea...

—Entendido —farfulló Zoe—. Lo siento mucho, Tina.

—Y ahora, suelta la pasta —exigió Tina.

—No llevo nada encima —replicó Zoe.

Era la verdad. Su padre cobraba el paro desde hacía años, y no le llegaba para darle una semanada. De camino a la escuela, iba mirando las aceras en busca de alguna moneda, ¡y un día hasta había encontrado un billete de cinco libras en el sumidero de una alcantarilla! Estaba mojado y sucio, pero era suyo. Mientras volvía a casa dando saltitos de alegría, pasó por el quiosco de Raj y compró toda una caja de bombones para compartirla con su familia. Sin embargo, antes de que el padre de Zoe llegara a casa, su madrastra se los había zampado todos, incluidos los espantosos bombones de licor con guindas, y no contenta con eso se tragó también la caja.

—¿Que no llevas nada encima? ¿Me tomas por imbécil? —farfulló Tina a un palmo de su cara. Farfullar es un poco como hablar, pero con la diferencia de que la otra persona suele acabar llena de salivazos.

—¿Por qué no? —preguntó Zoe—. Somos vecinas. Sabes que no tengo dinero.

Tina se echó a reír.

—Apuesto a que te dan semanada. Siempre vas por ahí como si fueras la reina del mambo. Chicas, cogedla.

Sin pensárselo dos veces, las dos brutotas rodearon a nuestra pequeña heroína y la sujetaron con fuerza por los brazos.

—¡Aaaaaay! —gritó Zoe mientras le hundían las uñas en los bracitos huesudos y Tina hurgaba en sus bolsillos con sus enormes y sucias manos.

El corazón de Zoe empezó a latir con fuerza. Armitage estaba dormido en el bolsillo superior de su chaqueta, y Tina la palpaba y toqueteaba por todas partes con sus dedos regordetes. En unos segundos se toparía con el pequeño roedor, y a partir de ese momento la vida de Zoe en la escuela cambiaría para siempre.

Llevar una rata a clase no es de esas cosas que acaban cayendo en el olvido.

Una vez, un chico de otro curso había tenido la ocurrencia de sacar el trasero por la ventanilla del autobús durante una excursión al museo del ferrocarril, y desde entonces todo el mundo lo llamaba «Culo Peludo», incluidos los profes.

El tiempo se detuvo y luego pisó el acelerador cuando la búsqueda de Tina la llevó inevitablemente al bolsillo superior de la chaqueta de Zoe. Metió los dedos en su interior y se topó con la naricilla del pobre Armitage.

—¿Qué es esto? —preguntó Tina—. Pelo Panocha lleva algo vivo aquí dentro.

Armitage no debió de tomarse demasiado bien eso de que un gran dedo mugriento le pinchara la nariz, porque le pegó un mordisco.

—¡¡¡¡¡¡Aaaaaaaaaaaaaaaaaaaaaaaaa aaaaaaaaaaaaaaaaaaaaaaaaaayyyyyy

yyyyyyyyyyyyyyyyyyyyyyyyyy
yyyyyyyyyyyyyyyyyyyyyyyyyyy
yyy!!!!!! —gritó Tina.

La grandullona sacó la mano del bolsillo de Zoe como si quemara, pero Armitage seguía colgado de su dedo, al que se aferraba con los afilados dientecillos mientras su cuerpo se balanceaba en el aire.

—¡¡¡¡¡¡EEEEEEEEEEeeeeee EEEEEEEEEEEeeeeeeeeeeeeeee eeeeeeeeeeeeeeeeeeeeeecccccccccc cccccccccccccccccccssssssssssssssssssss ssssssssssssssssssssss!!!!!! —gritó la abusica—. ¡Es una rata!

10

La Enana

—No es más que una rata bebé —razonó Zoe, tratando de tranquilizar a Tina. Temía que estampara a Armitage contra algo y le hiciera daño.

Tina empezó a sacudir la mano con fuerza mientras correteaba por el lavabo de chicas en pleno ataque de pánico. Pero la ratita no le soltó el dedo. Las dos brutotas que la seguían a todas partes se quedaron quietas como pasmarotes, buscando en sus diminutos cerebros una respuesta adecuada a la situación.

Como era de esperar, no se les ocurrió nada.

—Estate quieta —dijo Zoe.

Tina no paraba de dar vueltas.

—He dicho que te estés quieta.

Sorprendida por el tono autoritario de la niña pelirroja, Tina obedeció.

Con mucho cuidado, como si tuviera ante sí a un oso furibundo, Zoe cogió la mano de Tina.

—Venga, Armitage... —Con delicadeza, separó sus afilados incisivos del regordete dedo de Tina—. Bueeeno, ya está —dijo Zoe, en el mismo tono que hubiese empleado el dentista después de hacerle un empaste ligeramente doloroso a un niño—. Vamos, vamos, ya pasó. No ha sido para tanto.

—¡Esa pequeña @**$$$$&!%^!%!!!! me ha mordido! —protestó Tina, descubriéndose como la autora más que probable del mensaje insultante de la puerta del lavabo.

La grandullona se examinó la yema del dedo, en la que había dos minúsculas gotitas de sangre.

—Tina, son como pinchacitos de alfiler —dijo Zoe.

Sus dos compinches estiraron los largos cuellos para verlo más de cerca y asintieron, dando la razón a Zoe, lo que hizo que Tina se enfadara aún más. Su cara se puso al rojo vivo, como un volcán a punto de entrar en erupción.

Hubo un silencio que no presagiaba nada bueno.

«Estoy a punto de morir —pensó Zoe—. Tina va a matarme de verdad.»

Entonces sonó la campana, anunciando el final del recreo.

—Bueno, si nos perdonáis —dijo Zoe, aparentando una tranquilidad que estaba lejos de sentir—, Armitage y yo no queremos llegar tarde a clase de historia.

—¿Qué le has llamado? —farfulló una de las gorilas de Tina.

—Bueno... verás, es una larga historia —se excusó Zoe, que no estaba por la labor de contarles que su mascota se llamaba igual que el váter—. En otro momento, quizá. ¡Hasta luego!

Las tres grandullonas estaban demasiado patidifusas para detenerla. Escondiendo a su amiguito en la mano ahuecada, Zoe se marchó de los lavabos tan tranquila. Nada más salir por la puerta, cayó en la cuenta de que llevaba un buen rato sin respirar, y que sería mejor empezar a hacerlo. Luego plantó un besito en la cabeza de Armitage.

—¡Eres mi ángel de la guarda! —le susurró antes de volver a meterlo con cuidado en el bolsillo superior de la chaqueta.

De pronto, Zoe se dio cuenta de que Tina y sus compinches podrían estar siguiéndola, por lo que apretó el paso sin mirar atrás. Primero avanzó a grandes zancadas, y poco después echó a correr hasta que de pronto, sin saber muy bien cómo, llegó casi sin aliento a la clase de historia, que daba la señorita Elianna. La profesora de historia era una señora muy, pero que muy bajita, que se había ganado el apodo de «señorita Enana» o «Enana» a secas.

La señorita Elianna siempre se ponía unas botas de cuero que le llegaban hasta las rodillas y la hacían parecer más bajita aún. Eso sí, todo lo que le faltaba de estatura le sobraba de mala baba.

Señorita Elianna
Leprechaun
Elfo
Hada
Duende
Geniecillo

Su dentadura no hubiese desentonado en la boca de un cocodrilo. La enseñaba siempre que un alumno hacía algo que le molestaba, lo que pasaba a menudo. Los chicos no tenían que esforzarse demasiado para sacarla de sus casillas, y un involuntario estornudo o ataque de tos era cuanto bastaba para desatar la furia de aquella profesora pequeña pero matona.

—Llegas tarde —gruñó la profesora.

—Lo siento, señorita Enana —se disculpó Zoe, sin pensar en lo que decía.

«Oh, no.»

Se oyeron algunas risitas sofocadas, pero la mayor parte de sus compañeros de clase se limitaron a contener la respiración, aterrados. ¡Zoe estaba tan acostumbrada a llamarla «señorita Enana» a sus espaldas que se lo había dicho a la cara sin darse cuenta!

—¿Qué has dicho? —preguntó la profesora con cara de pocos amigos.

—He dicho que lo siento, señorita Elianna —farfulló Zoe.

La carrera desde el lavabo de chicas la había hecho entrar en calor, y ahora estaba sudando tinta china. Parecía que le hubiese caído encima un fuerte chaparrón. Armitage tampoco sabía dónde meterse, quizá porque de pronto el bolsillo de la chaqueta que se había convertido en su hogar estaba empapado de sudor. ¡Aquello debía de ser como una sauna! Con disimulo, Zoe se llevó la mano al pecho y le dio unas palmaditas para tranquilizarlo.

—Como te vuelvas a pasar de la raya —le advirtió la señorita Elianna—, no solo te echaré de clase, sino de la escuela.

Zoe tragó saliva. Acababa de empezar en la escuela de los grandes, y no estaba acostumbrada a meterse en líos. Nunca había hecho nada malo en su antiguo colegio, y la sola idea de que la castigaran la aterraba.

—Ahora volvamos a lo nuestro. En la lección que hoy hablaremos más sobre... ¡la peste negra! —dijo la señorita Elianna, silabeando mientras garabateaba con fuerza estas últimas palabras en la pizarra tan arriba como podía, es decir, en la parte de abajo.

De hecho, escribir en la pizarra era todo un reto para la señorita Elianna. A veces ordenaba a algún niño que se pusiera a cuatro patas en el suelo de la clase.

Entonces la profesora en miniatura se subía a lomos del chico para poder borrar los garabatos que había dejado en la pizarra el profesor de la clase anterior. En el caso de que este fuera muy alto, sencillamente apilaba a más niños unos sobre otros.

La peste negra no figuraba en el temario de
historia de la escuela, pero la señorita Elianna la
daba de todos modos. Corría el rumor de que,
cierto año, toda la clase había suspendido el examen final de historia porque, en vez de hablarles
de la reina Victoria, la señorita Elianna se había
pasado todo el curso recreándose en las esca-
lofriantes formas de tortura medieval, como la
horca, el desollamiento y el descuartizamien-
to. Se negaba a enseñar nada que no fueran los
episodios más sangrientos de la historia: gente de-
capitada, flagelada, quemada en la hoguera. La señorita Elianna sonreía enseñando sus dientes
de cocodrilo ante cualquier cosa cruel, brutal o
bárbara.

De hecho, en lo que llevaban de curso, no había
hablado de otra cosa que no fuera la peste negra.
Era su gran obsesión. En realidad no era de extra-
ñar, ya que fue uno de los períodos más oscuros de

la historia de la humanidad: en el siglo XIV, cien millones de personas murieron por culpa de una terrible enfermedad infecciosa. Las víctimas quedaban cubiertas de forúnculos gigantes, vomitaban sangre y morían sin remedio. Según habían aprendido en clases anteriores, la enfermedad se había extendido por algo tan insignificante como una picadura de pulga.

—¡Forúnculos del tamaño de manzanas! Imagináoslo. ¡Vomitaban hasta que no les quedaba nada que echar excepto su propia sangre! ¡Los sepultureros no daban abasto! ¡Fue la repanocha!

Los niños miraban a la señorita Elianna con los ojos como platos, boquiabiertos y aterrados. En ese momento, el director de la escuela, el señor Grave, entró en clase sin llamar, con el largo abrigo ondeando a su espalda como si fuera una capa. Los gamberros de las últimas filas, que se habían pasado toda la clase tecleando rápidamente en el móvil, escondieron los aparatos debajo de los pupitres en cuanto lo vieron.

—Ah, señor Grave, ¿a qué debemos este honor? —preguntó la señorita Elianna, sonriendo—. ¿Se trata del concurso de talentos?

Hacía bastante que Zoe sospechaba que la señorita Elianna tenía cierta debilidad por el director. Esa misma mañana, en el pasillo, había visto un cartel que anunciaba el concurso de talentos organizado por la señorita Elianna, que se celebraría a final de curso. Ni que decir tiene que el cartel estaba demasiado bajo, casi a la altura de las rodillas de la mayoría de los alumnos. A Zoe no le cabía en la cabeza que la señorita Elianna estuviera detrás de algo tan divertido, y se preguntó si no lo haría solo para ganarse la simpatía del director. Todos sabían que, pese a su aspecto vampiresco, el señor Grave adoraba las funciones teatrales y todo eso.

—Buenos días, señorita Enana, quiero decir señorita Elianna...

¡Hasta al señor Grave se le escapaba!

La sonrisa se borró del rostro de la profesora de historia.

—Me temo que no se trata del concurso de talentos, aunque le estoy muy agradecido por la iniciativa.

La señorita Elianna sonrió de nuevo.

—Nooo... —continuó el señor Grave con su vozarrón cavernoso—. Por desgracia, se trata de algo mucho menos agradable.

La sonrisa de la señorita Elianna volvió a desvanecerse.

—Verá —dijo el director—, el conserje ha encontrado unas... unas... cagarrutas en los lavabos de chicas.

11

La peste negra

Todos los alumnos de la clase empezaron a reírse por lo bajo cuando el director pronunció la palabra «cagarrutas». Todos excepto Zoe.

—¿Alguien ha hecho caca en el suelo del baño, señor director? —preguntó uno de los chicos entre risas.

—¡No son cagarrutas humanas, sino animales! —vociferó el director—. El profesor de ciencias naturales, el señor Bundsen, las está examinando para averiguar a qué clase de animal pertenecen, pero sospechamos que se trata de algún roedor...

Armitage se removió y Zoe tragó saliva. Puede que cayera alguna cagarruta al suelo del lavabo sin que ella se diera cuenta.

«No muevas un solo músculo, Armitage», pensó Zoe.

Por desgracia, Armitage no sabía leer el pensamiento.

—Si algún alumno cree que puede traer su mascota a la escuela, os recuerdo que está prohibido. ¡Estrictamente prohibido! —advirtió el director, plantado delante de la clase.

Resultaba cómico ver a los dos profesores allí de pie, uno al lado del otro. Eran como el punto y la «i».

—Si algún alumno trae un animal a clase, sea cual sea, se ganará una expulsión temporal inmediata. ¡Eso es todo!

Dicho lo cual, dio media vuelta y se fue.

—¡Magistral! Adiós, señor Grave... —se despidió la señorita Elianna cuando el director ya salía por la puerta. Lo vio marcharse con cara de pena. Luego se volvió hacia la clase—. Muy bien, ya habéis oído a Colin... quiero decir... al señor Grave. Está prohibido traer mascotas al cole.

Los alumnos se miraron entre sí y empezaron a murmurar.

«¿Traer una mascota al cole? —oyó que se decían unos a otros—. ¿Quién iba a ser tan tonto?»

Zoe se quedó todo lo quieta que pudo, mirando hacia delante sin decir ni mu.

—¡SILENCIO! —ordenó la señorita Elianna, y todos enmudecieron al instante—. ¡Ya basta de cotilleos! Ahora volvamos a la lección de hoy. La peste negra.

Subrayó esas tres palabras en la pizarra.

—Y bien, ¿cómo viajó esta enfermedad terriblemente mortífera desde China hasta Europa? ¿Alguien lo sabe? —preguntó sin darse la vuelta. Era de esos profesores que hacen preguntas pero no esperan a las respuestas. Así que, una milésima de segundo después de haberla lanzado al aire, se contestó ella misma—. ¿Nadie? Fueron las ratas las que trajeron la enfermedad mortal. Las ratas, a bordo de los barcos mercantes.

Zoe ya no notaba a Armitage removiéndose en su bolsillo, y soltó un suspiro de alivio. Dio por sentado que se habría quedado dormido.

—Pero la culpa no fue de las ratas, ¿verdad? —dijo Zoe de sopetón, sin levantar la mano. No podía creer que los tataratataratataratatarabuelos de su mascota fueran los responsables de tanto sufrimiento. Armitage era una criatura dulce y tierna, incapaz de hacerle daño a nadie.

La señorita Elianna giró sobre sus talones (o, mejor dicho, sobre los taconazos de sus botas, a pesar de los cuales seguía siendo un tapón).

—¿Has dicho algo, niña? —susurró, como una bruja lanzando un hechizo.

—Sí, sí... —farfulló Zoe, que de pronto deseó no haber abierto la boca—. Perdone, pero solo quería decir, señorita Elianna, que no deberíamos culpar a las ratas de esa enfermedad terrible. Las verdaderas culpables fueron las pulgas que se colaron entre el pelo de las ratas.

Todos los demás alumnos de la clase miraban a Zoe como si no se lo pudieran creer. Aquella era una escuela dura, y muchos profesores habían tenido que pedir la baja por agotamiento nervioso, pero nadie jamás había osado interrumpir a la señorita Elianna, y mucho menos para salir en defensa de las ratas.

Hubo un silencio sepulcral. Zoe echó un vistazo a su alrededor. Todos sus compañeros de clase tenían los ojos clavados en ella. La mayor parte de las chicas la miraban con cara de asco, y la mayoría de los chicos se reían sin disimulo.

Y entonces, de pronto, Zoe notó que le picaba muchísimo la cabeza. Le picaba tanto que se hubiese rascado hasta quedarse sin uñas. Más que picarle, le requetepicaba.

«¿Qué demonios será esto?», se preguntó.

—Zoe... —dijo la señorita Elianna, sin apartar los ojos del punto exacto de la cabeza de Zoe que tanto le picaba.

—¿Sí, señorita? —repuso Zoe con el aire más inocente del mundo.

—Tienes una rata en la cabeza.

12

Expulsión inmediata

¿Qué es lo peor que te puede pasar en el cole?

¿Que llegues por la mañana y, mientras cruzas el patio, te des cuenta de que te has olvidado de vestirte y no llevas nada encima, excepto la corbata del uniforme?

¿Que te pongas tan nervioso en un examen que tus tripas te jueguen una mala pasada y sueltes una traca de pedos monumental?

¿Que marques un gol en un partido de fútbol y eches a correr como un loco, besando a todos tus compañeros de equipo, hasta que el profe de educación física te dice que, en realidad, lo has marcado en tu propia portería?

¿Que busques tu árbol genealógico en clase de historia y descubras que eres familia del director del cole?

¿Que te dé por encadenar varios estornudos delante de tu tutor y lo dejes cubierto de mocos de la cabeza a los pies?

¿Que te equivoques de fecha y, creyendo que ese día tocaba desfile de moda en el cole, te pases todo el día vestida como Lady Gaga?

¿Que te toque interpretar a Hamlet en la función teatral del cole y en pleno «Ser o no ser...» tu tía suba al escenario desde la platea, escupa en un pañuelo y te frote la cara con él?

¿Que te quites las zapatillas después de hacer deporte y el olor a queso apestoso sea tan insoportable que haya que evacuar todo el cole y suspender las clases durante una semana para descontaminarlo?

¿Que en el comedor del cole te hinches de judías estofadas y sueltes una nube tóxica que dura toda la tarde?

¿Que te lleves una rata al cole escondida en la chaqueta, y que la rata se te suba a la cabeza en plena clase?

Cualquiera de las situaciones anteriores bastaría para que tu nombre se añadiera a la lista de alumnos infames, aquellos que se hicieron famosos por los peores motivos. Con el «incidente de la rata en la cabeza», Zoe estaba a punto de entrar en esa lista negra para siempre.

—Tienes una rata en la cabeza —repitió la señorita Elianna.

—¿De verdad, señorita? —preguntó Zoe, haciéndose la loca.

—No te asustes —dijo la señorita Elianna—. No te muevas, y llamaremos al conserje. Estoy segura de que podrá matarla.

—¿Matarla? ¡No! —Zoe se llevó la mano a la cabeza, sacó al roedor de su pelo pelirrojo, más enmarañado que nunca, y lo sostuvo en la mano. A su alrededor, todos se levantaron de sus asientos y se apartaron de ella.

—Zoe..., ¿conoces a esa rata? —preguntó la señorita Elianna con aire desconfiado.

—Hummm... no —mintió Zoe.

Entonces, Armitage correteó por su brazo y se le metió en el bolsillo superior de la chaqueta.

Zoe lo siguió con la mirada.

—Ejem...

—¿No acaba de meterse en tu bolsillo?

—No —negó Zoe, haciendo un ridículo espantoso.

—Es evidente —declaró la señorita Elianna— que esa alimaña asquerosa es tu mascota.

—¡Armitage no es una alimaña asquerosa!

—¿Armitage? —preguntó la señorita Elianna—. ¿Por qué demonios se llama así?

—Ah, es una larga historia, señorita. Oiga, ahora está en mi bolsillo, así que no hay de qué preocuparse. Por favor, continúe.

Todos se quedaron tan turulatos con su respuesta que, por un momento, nadie supo qué hacer. El silencio era ensordecedor, pero no duró mucho.

—Ya has oído al director —gruñó la señorita Elianna—: expulsión inmediata!

—Pero, pero, pero... puedo explicarlo...

—¡FUERA! ¡FUERA DE MI CLASE, MOCOSA IMPERTINENTE!

¡Y LLÉVATE A ESA CRIATURA REPUGNAN-
TE CONTIGO! —bramó la profesora.

Sin despegar los ojos del suelo, Zoe recogió sus
libros y bolígrafos en silencio y los metió en la
bolsa de plástico. Al empujar la silla hacia atrás, las
patas chirriaron en el suelo reluciente.

—Perdón —dijo Zoe, sin dirigirse a nadie en
concreto. Se fue hacia la puerta, deseando que se la
tragara la tierra, y posó la mano en el pomo.

—¡RECUERDA, EXPULSIÓN INMEDIA-
TA! —chilló la señorita Elianna—. ¡Y NO QUIE-
RO VOLVER A VERTE HASTA QUE PASE
EL CASTIGO!

—Hum... bueno, pues... adiós —balbució Zoe,
sin saber qué más decir.

Abrió la puerta despacio, salió y la cerró sin hacer ruido. Desde el pasillo vio las caras de sus
treinta compañeros de clase aplastadas contra el
cristal esmerilado.

Hubo una pausa.

Y luego, mientras Zoe se dirigía al vestíbulo, la clase entera rompió a reír a carcajadas.

—¡SILENCIO! —gritó la señorita Elianna.

Con todos los alumnos en clase, la escuela parecía extrañamente tranquila. Lo único que Zoe alcanzaba a oír eran sus propios pasos resonando en el pasillo y el chancleteo de la suela de su zapato. Por un momento, la tragedia que acababa de vivir parecía muy lejana, como si hubiese pasado en la vida de otra persona. La escuela nunca le había parecido tan fantasmagórica como en aquel momento, al verla desierta. Era como si estuviera soñando.

Pero en realidad aquello no era sino la calma que precede a la tormenta. En ese momento sonó la campana, anunciando la pausa del almuerzo, y como una presa cuyas compuertas revientan de tan llenas, las aulas que daban al largo pasillo se abrieron de golpe y una avalancha de alumnos se precipitó hacia fuera. Zoe apretó el paso. Sabía que la noticia de la rata no tardaría en extenderse como la mismísima peste negra. Tenía que largarse de allí, y cuanto antes...

13

Hamburguesas Burt

Casi sin darse cuenta, Zoe había echado a correr, pero sus piernecillas no podían competir con las de los alumnos mayores, que eran más altos que ella y no tardaron en adelantarla a toda pastilla para poder llegar los primeros a la cola de la hamburguesería ambulante y darse un buen atracón.

Zoe protegió a Armitage con la mano. No sería la primera vez que la estampida la dejaba tirada en el suelo del pasillo. Finalmente se las arregló para salir a la relativa seguridad del patio de recreo. Caminaba mirando al suelo, con la esperanza de que nadie la reconociera.

Sin embargo, tenía que salvar un último obstáculo para salir a la calle. Todos los días aparcaba delante del cole la misma furgoneta cochambrosa y destartalada con la inscripción «Hamburguesas Burt». Aunque la comida de la hamburguesería ambulante era vomitiva, la que servían en el comedor escolar era peor aún, así que la mayoría de los alumnos escogía la menos mala de las opciones y hacía cola delante de la furgoneta.

Burt era tan desagradable como sus hamburguesas. El supuesto cocinero siempre llevaba puesta la misma camiseta a rayas mugrienta y los mismos vaqueros sebosos de los que sobresalía una enorme barriga. Por encima de la camiseta se ponía un mono todo ensangrentado. Siempre tenía las manos asquerosas, y su gruesa mata de pelo estaba llena de caspa del tamaño de copos de arroz inflado. Hasta su caspa tenía caspa. Los copos iban cayendo a la freidora, donde silbaban y chisporro-

teaban al entrar en contacto con el aceite caliente.
Burt se sorbía los mocos a todas horas, como un
cerdo retozando en el barro. Nadie le había visto
nunca los ojos, porque siempre llevaba puestas
unas enormes gafas de sol negras, de esas que más
parecen anteojeras. La dentadura postiza se le movía en la boca cuando hablaba, haciéndole silbar
sin querer. En el cole circulaba la leyenda de que
una vez se le había caído de la boca y había aterri-
zado en un panecillo de hamburguesa.

El menú de la hamburguesería móvil de Burt
no destacaba por su variedad, que digamos:

HAMBURGUESA CON PANECILLO:
79 PENIQUES
HAMBURGUESA SIN PANECILLO:
49 PENIQUES
PANECILLO SOLO:
39 PENIQUES

Y eso que de momento no tenía ninguna estrella Michelin. Sus hamburguesas eran apenas comestibles, y solo si estabas muerto de hambre. Te hacía pagar cinco peniques más por un chorrito de ketchup, aunque no se parecía ni sabía demasiado a ketchup. Era marrón y tenía tropezones negros. Si te quejabas, Burt se encogía de hombros y refunfuñaba con su voz cascada:

—Es mi receta especial, queridos.

Por desgracia para Zoe, Tina Trotts ya estaba allí, la primera de la fila. Si no se hubiese saltado la última clase, se hubiese colado por la fuerza.

Al verla, Zoe agachó la cabeza más todavía. Lo único que veía era el asfalto, pero ni así logró pasar inadvertida.

—¡Eh, rata de cloaca! —gritó Tina.

Zoe levantó la cabeza y vio que todos los chicos de la larga cola la miraban. Algunos de sus compañeros de clase también estaban allí, y empezaron a señalarla entre risas.

Pronto tuvo la sensación de que toda la escuela se reía de ella.

—¡¡¡¡¡¡¡¡¡¡¡¡¡¡¡¡¡¡¡¡¡¡¡¡¡¡¡¡¡¡
¡¡¡¡¡¡¡JA, JA, JA, JA, JA, JA,
JA, JA, JA, JA, JA, JA, JA, JA,
JA, JA, JA, JA, JA, JA, JA, JA, JA, JA,
JA, JA, JA, JA, JA, JA, JA, JA, JA, JA,
JA, JA, JA, JA, JA, JA, JA, JA, JA, JA,
JA, JA, JA, JA, JA, JA, JA, JA, JA, JA,
JA, JA, JA!!!!!!!!!!!!!!!!!!!!!!!!!!!!!!!!
!!!!!!!!!!

Nunca una risa había sonado tan cruel. Zoe alzó la vista un instante. Había cientos de pequeños ojos clavados en ella, pero fue la cara de Burt, encorvado en la furgoneta, lo que llamó su atención. Le temblaba la nariz, y babeaba tanto que un goterón de saliva se le escapó por la comisura de la boca y fue a caer en el panecillo de Tina...

Zoe no podía irse a casa.

Su madrastra estaría en el piso viendo la tele, fumando un cigarrillo tras otro y poniéndose morada de patatas fritas con sabor a cóctel de gambas. Si le contaba que la habían expulsado, ni loca la dejaría conservar a Armitage. Lo más probable era que lo exterminara en el acto con un pisotón de los suyos. A Zoe le costaría trabajo despegarlo de la suela de su zapatilla afelpada.

Rápidamente, barajó varias posibilidades:

1) Darse a la fuga con Armitage para dedicarse a atracar bancos, como Bonnie y Clyde, y acabar a lo grande, convertidos en leyenda.

2) Hacerse ambos la cirugía estética y largarse a Sudamérica, donde nadie los conocía.

3) Contarles a su padre y su madrastra que había empezado un «programa de adopción de roedores» en el cole y que no tenían por qué preocuparse.

4) Intentar convencerlos de que Armitage no era una rata de verdad, sino un robot que ella había fabricado en clase de ciencias.

5) Decir que estaba entrenando al roedor para un proyecto ultrasecreto del Servicio de Inteligencia.

6) Poner a Armitage un gorro blanco, pintarlo de azul y hacerlo pasar por un pitufo de juguete.

7) Hacer dos globos aerostáticos, uno grande y otro pequeño, con el gigantesco sujetador de su madrastra y echar a volar desde el tejado con rumbo a otro país.

8) Secuestrar la motosilla de algún abuelo y salir pitando para ponerse a salvo.

9) Inventar y construir una máquina capaz de descomponer la materia para enviarlos a otra dimensión.*

10) Dejarse caer por la tienda de Raj y comer unas pocas chuches.

Como era de esperar, Zoe eligió la última opción.

—¡Aaah, señorita Zoe! —exclamó Raj cuando la vio entrando en el quiosco.

¡TILÍN!, sonó la campanilla de la puerta.

---

* Este plan tal vez fuera un pelín demasiado ambicioso.

—¿No deberías estar en clase? —preguntó Raj.

—Pues sí —farfulló Zoe, cabizbaja. Sintió que estaba a punto de echarse a llorar.

Raj salió a toda prisa de detrás del mostrador y abrazó a la pequeña pelirroja.

—¿Qué ocurre, jovencita? —preguntó, y Zoe apoyó la cabeza en su gran barriga blandita. Hacía mucho que nadie la abrazaba. Sin embargo, por desgracia, se le enredó la ortodoncia con el cárdigan de lana de Raj y por un momento se quedó enganchada a él.

—Vaya por Dios —dijo Raj—. Voy a intentar deshacer este lío.

Raj tiró suavemente del jersey para separarlo de los aparatos.

—Lo siento, Raj.

—No pasa nada, pequeña Zoe. Y ahora, dime —empezó de nuevo—: ¿qué demonios ha pasado?

Zoe respiró hondo y se lo contó:

—Me han expulsado tres semanas del cole.

—¡No puede ser! Pero si eres una niña muy buena. No me lo puedo creer.

—Pues es verdad.

—¿Y por qué te han expulsado?

Zoe pensó que sería más fácil enseñárselo que explicárselo, así que metió la mano en el bolsillo superior de la chaqueta y sacó la rata.

—¡¡¡Aaaaaaaaaaaaarrrr rrrrrrrggggggggg gggggghhhhhhhhhhhhhh hhhhhhhhhhhh!!! —gritó Raj.

El quiosquero dio media vuelta y se encaramó al mostrador, donde se quedó un buen rato, gritando a pleno pulmón.

—¡¡¡Aaaaaaaaaaarrrrrr rrrrrrrrrggggggggggghhhhhhhh hhhhhh!!!

»¡¡¡Aaaaaaaaaaaaaarrr rrrgggggggghhhhhhh!!! No soporto a los ratones, señorita Zoe. Por favor, por favor, señorita Zoe. Por favor. Te lo ruego, apártalo de mi vista.

—No te preocupes, Raj, no es un ratón.

—Ah, ¿no?

—No, es una rata.

Raj abrió mucho los ojos, tanto que parecían a punto de salírsele de las órbitas, y soltó un grito ensordecedor:

RrrrrrrrrrrrrrrrrrrRRR
RRRGGGGGGGGGGGGGGGG
GGGGGGGGGGGGG
GGGGGGGGGGGGGGG
GGGGGGGGGGGGGGGGGG
HHHHHHHHHHH
HHHHHHHHHHHHHHHHHH
HHHHHHHHHHH
HHHHHHHHHHHHHHHHHH
HHHHHHHHHHH
HHHHHHHHHHHHHHHHHH
HHHHHHHHHHH
HHHHHHHHHHH!!!!!!!!!!!!!!!!!!!!!
!!!!!!!!!!!!!!!!!!!!!!!!!!!!!!!!!!!
!!!!!!!!!!!!!!!!!!!!!!!!!!!!!!!!!!!
!!!!!!!!!!!!!!!!!!!!!!!!!!!!!!!!
!!!!!!!!!!!!!!!!!!!!!!!!!!!!!!!

14

Un moco en el techo

—¡No, no, por favor! —suplicó el quiosquero—.
¡No las soporto, no las soporto! ¡No las soporto!

¡TILÍN!

Una anciana entró en la tienda y miró extraña-
da al quiosquero, que seguía subido al mostrador.
Raj se agarraba a las perneras del pantalón, con los
cuatro pelos que le quedaban todos de punta, tan
asustado que sin darse cuenta pisoteaba todos los
diarios con sus grandes y torpes pies.

—Ah, hola, señora Bennett —saludó Raj con
voz temblorosa—. Su revista de labores está en ese
estante de ahí. Ya me la pagará otro día.

—¿Qué demonios hace usted ahí arriba? —preguntó la anciana, y con razón.

Raj miró a Zoe. Con disimulo, ella se llevó un dedo a los labios para implorarle que no dijera nada. No quería que todo el mundo se enterara de que tenía una rata, o la noticia no tardaría en extenderse por todo el bloque y llegar a oídos de su temida madrastra. Por desgracia, a Raj no se le daba nada bien mentir.

—Ejem... hummm... verá...

—Acabo de comprarme Peta Zetas —dijo Zoe, saliendo al paso—. Ya sabe, esos caramelos que te hacen cosquillas en la lengua cuando te los comes... Pero resulta que les había dado el sol y se habían vuelto explosivos, y cuando he abierto la bolsa han salido disparados.

—Sí, sí, señorita Zoe —confirmó Raj—. Un incidente de lo más lamentable, porque solo han pasado quince años desde que mandé pintar la tienda. Justamente estaba intentando sacar los restos de Peta Zetas del techo.

Raj encontró un trozo de mugre especialmente incrustado en el techo y lo rascó.

—Hay Peta Zetas por todas partes, señora Bennett. Ya me pagará la semana que viene...

La anciana lo miró con aire desconfiado y luego volvió los ojos hacia el techo.

—Eso de ahí no es un trozo de Peta Zetas, sino un moco seco.

—Qué va, señora Bennett, se equivoca usted. Mire...

Haciendo de tripas corazón, Raj arrancó del techo el moco que en su día había empotrado allí de un fuerte estornudo y se lo metió en la boca.

—¡Qué cosquilleo! —añadió, sin demasiada convicción—. ¡Ah, me chiflan los Peta Zetas!

La señora Bennett se quedó mirando al quiosquero como si creyera que había perdido la chaveta.

—Pues a mí me ha parecido más bien un enorme moco reseco —refunfuñó antes de marcharse.

¡TILÍN!

En cuanto se fue, Raj escupió el moco fosilizado.

—Escucha, este pequeñín no te hará ningún daño —le aseguró Zoe, sacando a Armitage del bolsillo con delicadeza. Raj se bajó del mostrador con mucha cautela y se acercó despacio a su peor pesadilla.

—Solo es un bebé —añadió Zoe para animarlo.

Raj no tardó en quedar cara a cara con el roedor.

—Bueno, para ser una rata es bastante mona. Mira qué naricilla tiene —dijo Raj, sonriendo con dulzura—. ¿Cómo se llama?

—Armitage —contestó Zoe, segura de sí.

—¿Y por qué se llama así? —preguntó Raj.

Le daba vergüenza reconocer que le había puesto el nombre de una marca de sanitarios, así que se limitó a decir:

—Bueno, es una larga historia. Tócalo, anda.

—¡Ni hablar!

—No te hará nada.

—Si estás segura...

—Te lo prometo.

—Ven aquí, pequeño Armitage —susurró el quiosquero.

La rata adelantó un poco el hocico para dejarse acariciar por aquel hombre asustadizo.

—¡AAAAAAAAAHHHHHH HHHHHH!¡IBA A ATACARME!

—gritó Raj entre aspavientos, y salió corriendo de la tienda.

¡TILÍN!

Zoe lo siguió hasta la acera y lo vio corriendo calle abajo, tan deprisa que habría hecho pasar apuros a los atletas de las Olimpiadas.

—¡VUELVE AQUÍ! —le gritó.

Raj se paró, se dio la vuelta y regresó arrastrando los pies por delante de todos los comercios de la calle hasta llegar al suyo. Finalmente, recorrió de puntillas los pocos metros que lo separaban de la niña y de su mascota.

—Armitage solo quería saludarte —dijo Zoe.

—No, no, de eso nada. Lo siento, pero le ha faltado poco para morderme.

—No seas miedica, Raj.

—Lo sé, lo siento. Es una monada.

Raj cogió aire y, alargando la mano, acarició a Armitage sin apenas tocarlo.

—Aquí fuera hace frío. Será mejor que entremos.

¡TILÍN!

—¿Qué voy a hacer con él, Raj? Mi madrastra no me dejará tenerlo en casa, y menos ahora, que por su culpa me han expulsado del cole. Detestaba a mi hámster, así que ni loca me dejará tener una rata.

Raj reflexionó un momento. Para concentrarse mejor, se metió un caramelo de menta extrafuerte en la boca.

—A lo mejor podrías devolverle la libertad —dijo al fin el quiosquero.

—¿Devolverle la libertad? —preguntó Zoe, a punto de derramar un lagrimón solitario.

—Sí. Las ratas no están hechas para ser mascotas...

—Pero este pequeñín es tan mono...

—Quizá, pero se hará grande. No puede pasarse la vida en el bolsillo de tu chaqueta.

—Pero yo lo quiero mucho, Raj, de verdad que sí.

—No lo dudo, señorita Zoe —replicó Raj, masticando el caramelo de menta extrafuerte—. Y si es así, debes devolverle la libertad.

15

Un camión de diez toneladas

Así que había llegado el momento de la despedida. En el fondo, Zoe sabía que no podía quedarse con Armitage mucho más tiempo. Había cientos de razones, entre las que destacaba una:

ERA UNA RATA.

Ningún niño en su sano juicio tendría una rata como mascota. Suelen tener gatos, perros, hámsters, jerbos, conejillos de Indias, ratones, conejos, galápagos y tortugas, y los niños ricos hasta pueden tener ponis, pero nunca tienen ratas. Las ratas viven en las cloacas, no en las habitaciones infantiles.

Zoe salió de la tienda de Raj con el corazón hecho un gurruño. Puede que el quiosquero intentara vender a sus clientes una chocolatina medio comida, o que volviera a meter un caramelo de tofe chupeteado en el frasco de las chuches, pero todos los chicos del barrio sabían que, a la hora de dar consejos, era el mejor.

Y eso significaba que Zoe debía despedirse de Armitage.

Decidió volver a casa dando un rodeo y atravesando el parque. Pensó que sería el lugar perfecto para liberar al pequeño roedor. Podría comer los mendrugos de pan que la gente tiraba a los patos, beber el agua del estanque y quizá incluso bañarse en él de vez en cuando y, quién sabe, tal vez lograra incluso hacerse amigo —o al menos conocido— de alguna que otra ardilla.

En el último tramo del paseo, la niña llevaba a la pequeña rata en la mano. A media tarde apenas había nadie el parque, excepto alguna que otra abuela a la que su perro había sacado a pasear. Armitage enrolló la cola en torno al pulgar de Zoe. Era casi como si presintiera lo que se avecinaba, y por eso se aferrara a ella con todas sus fuerzas.

Arrastrando los pies, avanzando lo más despacio que podía, Zoe llegó al centro del parque. Buscó un rincón alejado de los ladridos de los perros, los graznidos de los cisnes y los gruñidos del jardinero. Despacio, se agachó y abrió la mano. Armitage no se movió. Era como si no quisiera separarse de su nueva amiga. Se restregó contra su mano, y a Zoe se le encogió el corazón.

La niña sacudió la mano suavemente, pero solo consiguió que Armitage se le agarrara con más fuerza todavía, usando la cola y los dedos de las patitas. Reprimiendo las lágrimas, Zoe cogió a la ratita por el pellejo de la nuca y la dejó en la hierba con delicadeza. De nuevo, Armitage no se movió. Lo que sí hizo fue mirar a Zoe con enormes ojos tristes. La niña se arrodilló y le plantó un suave beso en la naricilla rosada.

—Adiós, pequeñín —susurró—. Te echaré de menos.

Se le escapó una lágrima y fue a aterrizar en los bigotes de Armitage, que la atrapó con su lengüita rosada.

La ratita ladeó la cabeza como si tratara de comprender a Zoe, lo que hizo que la despedida resultara más dura todavía.

De hecho, decir adiós a Armitage le resultaba tan desgarrador que no podía soportarlo. Respiró hondo y se levantó, prometiéndose no mirar atrás. No había dado más de doce pasos cuando rompió su promesa, pues no pudo evitar echar un último vistazo al rincón donde lo había dejado. Cuál no sería su sorpresa al descubrir que Armitage ya no estaba allí.

«Habrá corrido a esconderse entre los arbustos», pensó. Observó los alrededores en busca de algún movimiento, pero la hierba era alta y Armitage era poquita cosa, y, aparte de una suave brisa que agitaba el césped, nada se movió. Zoe dio media vuelta y se fue a casa de mala gana.

Al salir del parque, cruzó la carretera. En ese momento no pasaba ningún coche, y en medio del silencio Zoe creyó oír un chirridito. Se volvió bruscamente y allí estaba Armitage, plantado en medio de la carretera.

La había seguido.

—¡Armitage! —exclamó, loca de alegría.

Él no quería recuperar su libertad, sino quedarse con ella. Qué contenta se puso. Desde que lo había dejado allí solo había imaginado que le pasaban toda clase de calamidades: que si un cisne feroz lo engullía de un bocado, que si salía a la carretera y lo atropellaba un camión de diez toneladas...

Justo entonces se dio cuenta de que algo surcaba la carretera a toda pastilla; iba derecho hacia Armitage, que seguía cruzando la calzada pasito a pasito para reunirse con Zoe.

Era... ¡un camión de diez toneladas!

Zoe se quedó petrificada viendo avanzar el camión a toda velocidad hacia Armitage. El conductor no podía ver a una cría de rata en medio de la carretera, y el pobre acabaría espachurrado, reducido a un manchurrón en el asfalto.

—¡¡¡NOOOOOOOOOOOOOOOOOOOOOOOOOOOO!!! —gritó Zoe, pero el camión siguió avanzando a toda mecha. No podía hacer nada.

Armitage miró al camión, se dio cuenta de que estaba en peligro y empezó a corretear en zigzag sin salir de la calzada. ¡El pobre estaba tan aterrado que no sabía dónde meterse, pero si Zoe salía al paso del camión también acabaría aplastada!

Demasiado tarde. El camión pasó zumbando por encima de él y Zoe se tapó los ojos con las manos.

¡¡¡¡¡¡¡¡¡BRRRrrrrrrrrr
RRUUUUUUUUUUuuuuuu
UUUUUUUUUUUUuuuu
UUUUUUUUUU
UUUUUUUUUU
UUUUUUUUUU
UUUMMMMMMM
MMMMMMMMM
MMMMMMMM
!!!!!!!!!

Solo cuando el rugido del motor se desvaneció a lo lejos, se atrevió a abrir los ojos de nuevo.

Buscó un manchurrón en el asfalto.

Pero no lo encontró.

Lo que sí encontró fue... ¡a Armitage! Con cara de susto, pero vivito y coleando. Los neumáticos gigantes del camión debieron de pasar rozándolo.

Después de mirar a derecha e izquierda otra vez para asegurarse de que no venían coches, Zoe echó a correr y lo recogió de la carretera.

—No pienso volver a separarme de ti nunca más —le dijo, apretándolo contra el pecho.

Armitage soltó un gemidito de lo más cariñoso.

16

La zarzamora

La naturaleza siempre encuentra el modo de abrirse paso en todas partes. En un callejón apestoso que unía la carretera con el bloque de pisos de Zoe, entre bolsas de patatas fritas y latas de cerveza vacías, crecía tan campante una pequeña zarzamora. A Zoe le encantaba coger moras, porque eran como chuches gratis. Estaba segura de que a Armitage también le gustarían. Cogió una mora grande para sí misma y otra pequeña para su amiguito.

Con delicadeza, dejó a la ratita apoyada contra el muro. Bajo la mirada atenta de Armitage, Zoe se metió la mora en la boca y empezó a masticarla con entusiasmo entre gemiditos de placer. Luego cogió la mora más pequeña entre el pulgar y el índice y se la ofreció. Armitage debía de tener hambre, porque se levantó tímidamente sobre las patas traseras para cogerla.

Zoe estaba encantada. La ratita cogió la mora entre las patas delanteras y la mordisqueó con avidez. En pocos segundos se la había comido toda y miraba a Zoe como pidiendo más. La niña cogió otra mora de la zarza y la sostuvo justo por encima de la naricilla de Armitage. Sin dudarlo, él se puso en pie otra vez. Zoe zarandeó la mora, y él la siguió sobre las patas traseras. Parecía que estuviera bailando.

—¡Qué bien lo haces! —dijo Zoe, dándole la mora. Una vez más, Armitage la devoró, y Zoe le acarició el lomo—. ¡Buen chico!

Zoe apenas lograba reprimir su emoción. ¡Podría adiestrar a Armitage! Mejor aún: él parecía estar deseándolo. Había comprendido lo de levantarse sobre las patas traseras más deprisa aún que Bizcochito...

Zoe se puso a recolectar todas las moras que encontró. Tal como había hecho con su hámster, empezó a enseñarle algunos trucos a Armitage:

Caminar   Saltar

Saltar a la pata coja   Saludar

Bailar

Pronto no quedaba ni una sola mora, y Armitage parecía tan empachado como cansado. Zoe sabía que había llegado el momento de parar. Lo cogió en brazos y le dio un beso en la nariz.

—Eres increíble, Armitage. Así te anunciaremos cuando salgamos juntos al escenario: «¡El increíble Armitage!».

Zoe se fue por el callejón dando brincos de alegría.

Solo cuando llegó a su bloque se le desvaneció aquella sensación de ir caminando sobre resortes. Además de contarle a su madrastra que la habían expulsado del cole, tendría que ingeniárselas para explicarle por qué.

Sheila tendría un motivo para amargarle aún más la vida. Y lo que era peor, un millón de veces peor: tendría un motivo para acabar con la vida de Armitage. Una vida que acababa de empezar.

Mientras se acercaba a la enorme mole inclinada, algo llamó su atención. La hamburguesería ambulante de Burt estaba aparcada justo delante del bloque de pisos. En todos los años que llevaba viviendo allí, desde la muerte de su madre, nunca había visto la furgoneta de Burt por los alrededores. Siempre estaba aparcada delante del cole.

«¿Qué demonios lo habrá traído aquí?», se preguntó.

Incluso de lejos, el pestazo a carne frita le revolvió las tripas. Por muy hambrienta que estuviera, Zoe nunca le había comprado una hamburguesa a Burt. Su olor era suficiente para que le entraran ganas de vomitar. El ketchup tampoco daba muy buena espina. Al pasar por delante de la furgoneta, Zoe se dio cuenta de lo cochambrosa que estaba. Es que hasta la suciedad estaba sucia. Deslizó el índice por la carrocería y lo sacó con un pegote de roña de dos dedos de grosor.

«A lo mejor Burt acaba de mudarse al bloque», pensó. Esperaba equivocarse, eso sí, porque aquel hombre le ponía los pelos de punta. Burt era la clase de hombre que daba pesadillas a las pesadillas.

El minúsculo piso de Zoe quedaba en la planta treinta y siete del edificio, pero el ascensor siempre olía fatal. Tanto que había que contener la respiración allí dentro, lo que no era fácil si tenías que subir treinta y siete pisos, por lo que Zoe prefería usar la escalera. Armitage iba seguro en el bolsillo de su chaqueta, y notaba cómo el cuerpo de la ratita se balanceaba contra su pecho a cada paso que daba. Zoe empezó a jadear a medida que subía por la escalera, que estaba llena de toda clase de porquerías, desde colillas de cigarrillo hasta botellas vacías. Allí tampoco es que oliera a rosas, pero no apestaba como en el ascensor, y por lo menos no te sentías tan encerrado.

Como de costumbre, Zoe llegó a la planta treinta y siete sin aliento, jadeando como un perro. Esperó.delante de la puerta un momento, para recuperar el resuello antes de meter la llave en la cerradura. Estaba segura de que el señor Grave, el director del cole, habría llamado a sus padres para decirles que la habían expulsado. En unos segundos Zoe se enfrentaría a la furia de su madrastra, capaz de hacer temblar los cimientos del mismísimo infierno.

Zoe giró la llave en la cerradura sin hacer ruido y, haciendo de tripas corazón, abrió la puerta de madera podrida. Aunque su madrastra rara vez salía de casa, la tele estaba apagada y no se oía ningún ruido, así que Zoe recorrió el pasillo de puntillas hasta su cuarto, tomando la precaución de no pisar los tablones que más chirriaban. Giró el pomo de la puerta y entró.

Había un desconocido en su habitación, vuelto hacia la ventana.

—¡¡¡¡¡¡Aaaaaaaaaaaahhhhhhh hhhhhhhhhhhh!!!!!! —chilló Zoe, asustada.

Entonces el hombre se dio la vuelta.

Era Burt.

17

¡Aquí hay rata encerrada!

—¡Aquí hay rata encerrada! —dijo Burt entre dientes.

Pero no era Burt. Bueno, en realidad sí era él, pero se había dibujado un bigote con rotulador, y dibujaba fatal.

—¿Qué demonios estás haciendo aquí? —preguntó Zoe—. ¿Y por qué te has pintado un bigote?

—Este bigote es real, querida niña —dijo Burt.

Jadeaba al hablar, como si le costara respirar. Su voz y su cara eran tal para cual: ambas parecían salidas de una peli de terror.

—Qué va. Te lo has pintado.

—No es verdad.

—Sí que lo es, Burt.

—Yo no me llamo Burt, pequeña. Soy el hermano gemelo de Burt.

—¿Y cómo te llamas?

El hombre se lo pensó un momento.

—Burt.

—¿Tu madre tuvo gemelos y os puso Burt a los dos?

—Éramos muy pobres y no podíamos permitirnos tener un nombre cada uno.

—¡Sal ahora mismo de mi habitación, tarado!

Justo entonces Zoe oyó a su madrastra acercándose a grandes zancadas por el pasillo.

—¡No le hables así al señor del control de plagas, con lo amable que es! —chilló mientras entraba en la habitación balanceándose como un tentetieso.

—¡Qué va a ser del control de plagas! ¡Este se dedica a vender hamburguesas! —protestó Zoe.

Burt estaba ahora entre ambas, con una sonrisita maliciosa. Era imposible ver qué hacían sus ojos porque las gafas de sol que llevaba puestas eran negras como la pez y le abarcaban hasta las sienes.

—¿De qué hablas, mocosa estúpida? Este señor atrapa ratas —gritó la madrastra de Zoe—. ¿A que sí?

Burt asintió en silencio y sonrió, enseñando la dentadura postiza, que le bailaba en la boca.

Zoe cogió a su madrastra por el grueso antebrazo lleno de tatuajes y la acompañó hasta la ventana.

—¡Mira, ahí está su furgoneta! —dijo—. Dime qué pone.

Sheila se asomó al cristal mugriento de la ventana y miró hacia los vehículos aparcados abajo.

—«Control de plagas Burt» —leyó.

—¡¿Qué?! —exclamó Zoe.

La niña frotó los manchurrones de la ventana y miró hacia abajo. Su madrastra tenía razón. Eso era lo que ponía. ¿Cómo podía ser? Parecía la misma furgoneta. Zoe miró a Burt, que sonreía sin disimulo. Mientras lo miraba, el hombre se sacó una bolsita de papel marrón del bolsillo y cogió algo de su interior. Zoe habría jurado que, fuera lo que fuese que se metió en la boca, se estaba moviendo. ¿Podría haber sido una cucaracha? ¿Se las comería el muy asqueroso a modo de tentempié?

—¿Lo ves? —dijo Burt—. Soy cazador de ratas.

—Lo que tú digas —replicó Zoe. Se volvió hacia su madrastra—. Aunque fuera verdad, que no lo es, porque en realidad vende hamburguesas, ¿qué hace este hombre en mi habitación? —preguntó.

—Ha venido porque ha oído decir que te has llevado una rata a clase —replicó Sheila.

—¡Eso es mentira! —dijo Zoe, mintiendo descaradamente.

—Entonces ¿por qué me ha llamado el director, eh, eh? ¡CONTÉSTAME! Me lo ha contado todo. Qué asco de niña.

—Yo no quiero líos, pequeña —dijo Burt—. Tú solo dame la criaturilla.

Alargó hacia Zoe una mano sucia, de dedos retorcidos. A sus pies había una vieja jaula cochambrosa que parecía hecha con la cesta metálica de una gran freidora eléctrica. Solo que, en lugar de usarla para freír patatas, había amontonado en su interior a cientos de roedores.

A primera vista, Zoe pensó que las ratas estaban muertas, porque no se movían. Pero al observarlas más de cerca se dio cuenta de que seguían vivas, aunque apenas podían moverse porque estaban como sardinas en lata. Muchas daban la impresión de que apenas podían respirar de tan apretujadas. Era horrible verlas así, y Zoe tuvo ganas de llorar ante la crueldad de aquel hombre.

Justo entonces notó que Armitage se removía en el bolsillo de su chaqueta. Quizá oliera el miedo. La niña se llevó la mano al pecho con disimulo para tratar de ocultarlo mientras trataba de inventar una mentira creíble.

—La he soltado —dijo al fin—. Lo que ha dicho el director es cierto, he llevado una rata a clase, pero la he soltado en el parque. Pregúntaselo a Raj, fue él quien me dijo que lo hiciera. Deberías irte al parque si quieres encontrar a la rata —añadió, pero justo entonces el pequeño roedor empezó a removerse como una anguila en su bolsillo y Zoe tuvo que sujetarlo por encima de la chaqueta.

Hubo un silencio sepulcral. Luego Burt le dijo con aire burlón:

—Mientes, pequeña.

—¡Qué va! —replicó Zoe, precipitándose un poco.

—¡No le mientas al señor! —bramó Sheila—. No pienso tener otra alimaña asquerosa correteando por el piso y transmitiendo enfermedades.

—¡Que no miento! —protestó Zoe.

—La estoy oliendo —dijo aquel hombre repulsivo, meneando su repulsiva nariz—. Huelo las ratas a kilómetros de distancia.

Burt olisqueó el aire y luego jadeó.

—Las crías de rata tienen un olor especialmente dulce... —Se pasó la lengua por los labios, y Zoe se estremeció.

—Aquí no hay ninguna rata —dijo.

—Suéltala —insistió Burt—. Le daré un golpe rápido con este aparatito especial de la más avanzada tecnología, diseñado para aturdir ratas. —Sacó del bolsillo un mazo manchado de sangre—. En realidad no duele, no llegan a sentir nada. Luego la pondré aquí dentro, para que juegue con sus amiguitas.

Burt señaló la jaula dándole una fuerte patada con el talón de su bota llena de mugre. Zoe estaba horrorizada, pero no podía perder los papeles, así que se esforzó por contenerse.

—Me temo que te equivocas —dijo—. Aquí no hay ninguna rata. Si vuelve, puedes estar seguro de que te llamaremos enseguida. Gracias.

—Dámela. ¡Ahora mismo! —ordenó aquel hombre siniestro con su voz ronca y jadeante.

Sheila, mientras tanto, no le quitaba ojo a Zoe, y se dio cuenta de que no despegaba la mano izquierda del pecho.

—¡Serás mentirosa! —la acusó, y tiró violentamente de la mano de Zoe—. La tiene escondida en la chaqueta.

—Sujéteme a la niña, si es tan amable, señora —pidió Burt—. Puedo atizar a la rata a través de la ropa. Así habrá menos sangre en la moqueta.

—¡Noooooooooooooooooooo! —gritó Zoe. Forcejeó, tratando de liberar el brazo, pero su madrastra era mucho más grande y fuerte que ella. La pequeña perdió el equilibrio y se cayó al suelo. Armitage se le escapó del bolsillo y se fue correteando por la moqueta.

—¡¡¡¡¡¡¡¡¡¡¡¡¡¡¡¡Aaaaaaaa aaaaaaaaaaaaaaaaaaaaaaaaaaaa

hhhhhhhhhhhhhhhhhhhh hhhhhhhhhhhhhhhhhhhh hhh!!!!!!!!!!!!!!!!!! —chilló Sheila—.

¡Apártela de mí!

—Créanme, no sentirá nada —dijo Burt casi sin aliento mientras se ponía a cuatro patas, sosteniendo el mazo ensangrentado. Le temblaba la nariz mientras perseguía a la rata por la habitación repartiendo mazazos a troche y moche, y estuvo en un tris de aplastar a Armitage.

—¡Ya basta! —gritó Zoe—. ¡Vas a matarlo!

Intentó detener al hombre, pero su madrastra la retuvo cogiéndola por los brazos.

—Ven aquí, monada... —susurraba Burt mientras golpeaba una y otra vez la moqueta polvorienta con el mazo, levantando costras de mugre con cada nuevo mamporro.

Armitage correteaba de aquí para allá, intentando evitar por todos los medios acabar convertido en papilla. El mazo volvió a caer con fuerza, y esa vez le pilló la puntita de la cola.

—¡Hiiiiiiiiiiiiiiiiiiiccccccccc ccccccccccccc! —chilló de dolor, y fue corriendo a refugiarse debajo de la cama de Zoe. Pero eso no detuvo a Burt que, sin quitarse las gafas de sol, se arrastró debajo de la cama como una serpiente, barriendo el suelo de un lado a otro con el mazo.

Zoe logró zafarse de su madrastra y se lanzó sobre la espalda del hombre en cuanto lo vio asomar de debajo de la cama. No había pegado a nadie en toda su vida, pero lo montó a horcajadas, como una vaquera en un rodeo, y le golpeó los hombros con todas sus fuerzas.

Segundos después, su madrastra la apartó tirándole del pelo y la aplastó contra la pared, justo antes de que Burt desapareciera otra vez debajo de la cama.

—¡Zoe, no! Eres una salvaje, ¿me oyes? ¡Una salvaje! —chilló la mujer.

Zoe nunca había visto a su madrastra tan cabreada.

Cada vez que el mazo se estrellaba contra la moqueta debajo de la cama, le llegaba el ruido sordo del golpe. Las lágrimas rodaban por su cara. No podía creer que su adorado amiguito fuera a acabar de un modo tan violento.

¡PLAF!

Y entonces hubo un silencio. Burt salió a rastras de debajo de la cama y se sentó en el suelo, exhausto. En una mano tenía el mazo manchado de sangre. Entre los dedos de la otra sostenía a Armitage, colgado de la cola, inconsciente. Y entonces anunció con aire triunfal:

—**¡Ya te tengo!**

18

«Pulverización»

—¿Le apetece una patata con sabor a cóctel de gambas? —invitó Sheila.

—Hummm, cómo resistirme... —dijo Burt.

—Solo una.

—Perdón.

—Y bien, dígame, ¿qué hará con todas esas ratas? —continuó Sheila, toda remilgada, mientras acompañaba a Burt hasta la puerta.

Zoe estaba sentada en la cama, llorando. Su madrastra estaba tan escandalizada por el comportamiento de la niña que la había encerrado bajo llave en la habitación. Por mucho que Zoe tirara del pomo y golpeara la puerta, no podía salir. Estaba destrozada. Lo único que podía hacer era llorar. Oyó como su madrastra acompañaba a aquel hombre repulsivo hasta la puerta.

—Bueno, lo que siempre digo a los chiquillos... —contestó Burt con un tono que pretendía resultar tranquilizador, pero que sonó de lo más inquietante— es que me las llevo a todas a un hotel especial para ratas.

Sheila se echó a reír.

—¿Y se lo creen?

—¡Sí, los muy tontitos se creen que las ratas se pasan el día tomando el sol en el jardín, relajándose en el balneario, dándose un masaje, haciéndose una limpieza de cutis y todo eso!

—Pero ¿en realidad...? —susurró Sheila.

—¡Las pulverizo! ¡Con un aparato especial!

Sheila sofocó una carcajada.

—¿Y eso duele?

—¡Muchísimo!

—¡Ja, ja! Bien. ¿Y también las aplasta de un pisotón?

—No.

—Ah. Yo las aplastaría de un pisotón y luego las pulverizaría. ¡Así sufrirían el doble!

—Pues tendré que probarlo, señora...

—Oh, llámeme Sheila. ¿Otra patata?

—Sí, cómo no.

—Solo una.

—Perdón. Qué sabor tan delicado —dijo Burt.

—Tal cual el cóctel de gambas, no sé cómo lo hacen.

—¿Ha probado alguna vez el cóctel de gambas?

—Qué va —dijo la mujer—. Ni falta que me hace. Sé que sabe exactamente como estas patatas.

—Desde luego. Señora, permítame que le diga que es usted una mujer sumamente hermosa. Me encantaría invitarla a cenar esta noche.

—¡Ay, pero qué atrevido eres! —dijo la madrastra de Zoe, toda coqueta.

—Podría darte a probar mis hamburguesas superespeciales.

—¡Oh, eso me encantaría! —dijo la espantosa mujer, y remató la frase con otra risita cursi de colegiala.

Zoe no podía creer que su madrastra estuviera coqueteando tan descaradamente con aquel tipejo detestable.

—Solo nosotros dos y todas las hamburguesas que nos quepan en el estómago... —añadió Burt.

—Qué romántico... —dijo Sheila suspirando.

—Hasta luego, reina mía.

Zoe oyó la puerta cerrándose, y luego a Sheila avanzando como una apisonadora por el pasillo hasta su habitación. Giró la llave en la cerradura y abrió la puerta.

—¡Te has metido en un buen lío, jovencita! —dijo Sheila.

Debió de haber besado a Burt para despedirse, porque tenía marcas de rotulador negro por encima del labio superior.

—¡Me da igual! —replicó Zoe—. Lo único que me importa es Armitage. Tengo que salvarlo.

—¿Quién es Armitage?

—La rata.

—¿Y por qué demonios le has puesto ese nombre? —preguntó la mujer, sin salir de su asombro.

—Es una larga historia.

—Sí, y también un nombre de lo más estúpido para una rata.

—¿Tú qué nombre le habrías puesto?

Sheila se lo pensó durante un buen rato.

—¿Y bien? —insistió Zoe.

—Estoy pensando.

Hubo un largo silencio, durante el que Sheila pareció concentrarse con todas sus fuerzas, hasta que al fin soltó:

—¡Rati!

—Muy original no es que sea —dijo Zoe entre dientes, lo que hizo que su madrastra se pusiera aún más furiosa.

—Eres mala. ¿Lo sabías, jovencita? ¡De la piel del diablo! ¡El día menos pensado te pondré de patitas en la calle! ¿Cómo se te ocurre atacar a un hombre tan encantador?

—¿Encantador? ¡Ese hombre es un asesino de ratas!

—No, no, no. Se las lleva a un retiro especial para ratas, donde tienen hasta un balneario...

—¿Te crees que me chupo el dedo? Las mata.

—Pero no las aplasta de un pisotón. Solo las pulveriza. Una lástima, la verdad.

—¡Eso es monstruoso!

—¿A quién le importa? Una rata menos.

—No. Tengo que salvar a mi pequeño Armitage. Tengo que hacerlo.

Zoe se levantó con intención de ir hacia la puerta, pero su madrastra la obligó a sentarse de nuevo en la cama.

—Tú de aquí no te mueves —dijo la mujer—. Estás castigada. ¿Me has oído? ¡CAS-TI-GA-DA! Y ni te se ocurra rechistar.

—Se dice «ni se te ocurra» —corrigió Zoe.

—¡No te pases de lista conmigo! —Ahora sí que estaba enfadada—. No vas a salir de esta habitación hasta que yo lo diga. ¡Ya puedes ir pensando en lo que has hecho, porque vas a quedarte ahí sentada hasta que las ranas críen pelo!

—¡De eso nada! ¡Ya verás cuando llegue mi padre!

—¿Qué va a hacer ese inútil?

Zoe notó que le escocían los ojos. Papá estaría pasando una mala racha, pero seguía siendo su padre.

—¡No te atrevas a hablar así de él!

—Solo sirve para cobrar el dinero del paro y poner un techo sobre mi cabeza.

—Ya verás cuando se lo diga.

—Lo sabe de sobra. Se lo digo cada noche —replicó la malvada mujer con una carcajada de bruja.

—Mi padre me quiere. ¡No dejará que me trates así! —protestó Zoe.

—Si tanto te quiere, ¿por qué se pasa todo el santo día en el pub, empinando el codo?

Zoe enmudeció. No sabía qué contestar. Aquellas palabras se le clavaron en el corazón.

—¡Ja! —exclamó la mujer. Después, se fue dando un portazo y cerró con llave desde fuera.

Zoe se acercó a la ventana. Desde allí tenía buenas vistas, pues no en vano estaba en la planta treinta y siete de la destartalada torre de pisos. Reconoció la furgoneta de Burt avanzando a toda pastilla por la carretera. Conducir no era lo suyo. Zoe vio como se llevaba por delante los espejos retrovisores de varios coches y casi atropellaba a una anciana antes de que la furgoneta desapareciera de su campo de visión.

Fuera se había hecho de noche, pero las miles de farolas de la ciudad iluminaban el cielo y bañaban su habitación con un feo resplandor naranja que no había manera de apagar.

Era tarde cuando papá regresó al fin del pub. Sheila y él se pusieron a discutir a grito pelado, como de costumbre, y se oyeron portazos. Papá no entró en la habitación de Zoe para hablar con ella. Seguramente se había quedado dormido en el sofá.

Zoe no pegó ojo en toda la noche. No podía dejar de pensar en Armitage, y tenía el corazón hecho añicos. Por la mañana oyó salir a su padre, seguramente para esperar a que abrieran el pub, y a su madrastra poniendo la tele. Golpeó la puerta con fuerza una y otra vez, pero Sheila no la dejó salir.

«Soy una prisionera», pensó Zoe. Se dejó caer otra vez en la cama, desesperada, sedienta, hambrienta y con la vejiga a punto de explotar.

«Bueno, ¿qué hacen los prisioneros? —se preguntó—. ¡Intentan escapar!»

19

La gran evasión

Armitage corría un gran peligro. Zoe tenía que salvarlo, y deprisa.

Recordó que Burt solía dejar su cochambrosa furgoneta aparcada delante del cole todos los días, así que si lograba escapar de su habitación podría seguirle la pista y averiguar dónde había encerrado a todas las ratas antes de que las «pulverizara».

Zoe barajó distintas posibilidades de fuga:

1. Podía anudar las sábanas de la cama, salir por la ventana y bajar pegada a la fachada del edificio. Pero, teniendo en cuenta que vivía en la planta

treinta y siete, no estaba segura de poder llegar más allá de la planta veinticuatro. Riesgo de muerte: elevado.

2. Siempre quedaba la opción de echar a volar. Fabricar una especie de ala delta con perchas y bragas, y saltar por la ventana rumbo a la libertad. Riesgo de muerte: elevado. Y más importante aún: Zoe no tenía suficientes bragas limpias.

3. Excavar. Durante la guerra, los túneles habían sido el método de fuga preferido por los soldados en los campos de prisioneros. Riesgo de muerte: bajo.

El problema de la opción número tres era que justo debajo de su habitación vivía una abuela quejicosa que, pese a tener los perros más escandalosos del mundo, se pasaba la vida protestando por el ruido de arriba. La anciana no dudaría en entregarla a su madrastra.

«¡Pero podría excavar hacia los lados!», pensó Zoe.

Despegó un cartel del grupo musical del momento y golpeó la pared con las yemas de los dedos. El tamborileo resonó al otro lado, por lo que la pared no debía de ser muy gruesa. Desde hacía años, Zoe oía un gran griterío en el piso de al lado, pero llegaba a sus oídos demasiado amortiguado para deducir qué clase de personas vivían en él. Una chica y sus padres, creía Zoe, pero podía haber más gente. Fueran quienes fuesen, daba la impresión de que eran tan desgraciados como Zoe, si no más.

El plan en sí era sencillo. Podía volver a pegar el cartel siempre que quisiera ocultar lo que se traía entre manos. Lo único que necesitaba era algo con lo que abrir un agujero en la pared. Algo metálico y afilado. «Una llave», pensó, y se fue corriendo hacia la puerta, pero entonces recordó que la llave estaba puesta por el otro lado. En realidad, ese era el motivo por el que quería escapar.

«¡Seré boba!», se dijo.

Zoe hurgó entre sus cosas, pero la regla, el peine, el bolígrafo y todas sus perchas eran de plástico. Cualquier cosa hecha de plástico se rompería en cuanto intentara usarla para excavar la pared.

Entonces Zoe se vio reflejada en el espejo y se dio cuenta de que llevaba la solución escrita en la cara. Sus aparatos de los dientes. Por fin aquellos malditos hierros servirían para algo.* Zoe se los quitó con los dedos y corrió hacia la pared. Sin pararse siquiera a limpiar la saliva de los aparatos, empezó a rascar. No le extrañaba que le dolieran, le rozaran las encías y se engancharan en el cárdigan de Raj, ¡porque eran afilados como cuchillos!

---

* Además de para enderezar los dientes, claro está (esto tengo que ponerlo porque, si no, cualquier ortodoncista que me lea podría presentar una queja, aunque no son más que torturadores sedientos de sangre, todos ellos).

El yeso de la pared no tardó en empezar a desconcharse y caer al suelo. Poco después, Zoe había dejado los ladrillos a la vista y los aparatos cubiertos de pintura, yeso y polvo de la pared.

De pronto oyó la llave girando en la cerradura de la puerta. Se levantó de un brinco y volvió a pegar el cartel en la pared. Justo a tiempo, se acordó de volver a meterse los aparatos en la boca, aunque no tuvo tiempo de limpiarlos.

Sheila miró a su hijastra con aire desconfiado, como si supiera que algo estaba tramando, pero no supiera el qué. Todavía.

—¿Quieres comer? Será mejor que te traiga algo —dijo la malvada mujer—. Como te deje morir de hambre, los de servicios sociales vendrán a darme la murga. —Los ojillos de Sheila, redondos y brillantes como cuentas, examinaron la habitación. Algo había cambiado, de eso estaba segura. Pero no hubiese sabido decir el qué.

Zoe negó con la cabeza. No se atrevía a hablar con la boca llena de polvo. En realidad estaba muerta de hambre, pero tenía que seguir adelante con su plan, y no quería más interrupciones.

—Al menos tendrás que ir al baño, ¿no? —dijo la mujerona.

Zoe se dio cuenta de que su madrastra inspeccionaba la habitación. Volvió a decir que no con la cabeza. Pensó que acabaría asfixiada, porque ahora el polvo de los aparatos le estaba bajando por la garganta. La verdad es que apenas podía aguantarse el pipí, y hasta cruzaba las piernas para que no se le escapara, pero si iba al baño y su madrastra registraba la habitación, era posible que encontrara el túnel recién empezado.

—¿Llevas puestos los aparatos de los dientes?

Zoe asintió vigorosamente y luego intentó sonreír sin despegar los labios.

—Enséñamelos —insistió su madrastra.

Despacio, Zoe abrió la boca un poquitín, para enseñar solo un trocito de metal.

—No veo nada. ¡Abre grande!

A regañadientes, la niña abrió la boca del todo, enseñando los aparatos cubiertos de polvo. La mujer se acercó para mirar más de cerca.

—Tienes que lavarte los dientes, están asquerosos. Qué marrana eres.

Zoe cerró la boca y asintió, dándole así la razón. Sheila miró a su hijastra una última vez y negó con la cabeza, asqueada, antes de darse la vuelta para salir.

Zoe sonrió. Se había salido con la suya. De momento.

Esperó hasta oír que la llave giraba en la cerradura y luego se volvió hacia la pared. ¡El póster estaba boca abajo! Deseó con todas sus fuerzas que uno de sus componentes, un chico con el pelo peinado hacia delante, nunca descubriera que ella lo había puesto patas arriba; era su preferido y algún día se casaría con ella, aunque no lo supiera todavía.

Luego, con gran alivio, pensó en la suerte que había tenido de que su madrastra no se diera cuenta de que el cartel estaba del revés. Escupió los aparatos, se pasó la lengua estropajosa por la manga del jersey para intentar quitarse el polvo y se puso otra vez manos a la obra.

Se pasó toda la noche rasca que te rasca, excavando la pared hasta que al fin consiguió ver el otro lado. Sus aparatos habían quedado convertidos en un trozo de chatarra retorcida, y los echó a un lado. Era tal su emoción por estar a punto de escapar que dejó que sus dedos tomaran el relevo. Rascó y escarbó para agrandar el agujero, desmenuzando trozos de yeso con las manos lo más deprisa que podía.

Zoe se secó los ojos y miró por el agujero. No tenía ni idea de lo que encontraría al otro lado. Al mirar más de cerca, se dio cuenta de que veía una cara.

Una cara conocida.

Era Tina Trotts.

20

Tira y afloja

Zoe siempre había sabido que la abusica de Tina vivía en algún piso de su mismo bloque. Sus compinches y ella acaparaban el parque infantil a todas horas, y cada día le lanzaba escupitajos a la cabeza por el hueco de la escalera, pero no tenía ni idea de que aquella pesadilla con piernas viviera tan cerca de ella.

Entonces se le ocurrió algo que la dejó confundida: si Tina vivía en el piso de al lado, eso quería decir que era su familia la que se pasaba el día gritando y dando portazos, más incluso que su propia familia. Era Tina la que aguantaba las broncas de su padre. Y era por ella por quien Zoe había sentido lástima mientras intentaba dormir por las noches.

Zoe sacudió la cabeza, intentando deshacerse de aquella extraña sensación de lástima hacia Tina Trotts. Entonces se recordó a sí misma otra sensación —la de recibir un escupitajo en plena cara— y paró de mover la cabeza.

Era media mañana. Zoe había estado escarbando la pared durante toda la noche. Al otro lado del agujero estaba la fea carota de Tina, que roncaba. Estaba acostada en su cama que, como si se tratara del reflejo de un espejo, ocupaba exactamente el mismo lugar que la de Zoe en su habitación. Con la diferencia de que en la habitación de Tina no había apenas muebles. Parecía más la celda de una cárcel que el dormitorio de una niña.

Tina estaba envuelta en un nórdico sucio. Para ser una chica, roncaba como un camello, muy fuerte y luego muy flojo, y le temblaban los labios cada vez que soltaba aire.

Si alguna vez os habéis preguntado cómo suenan los ronquidos de un camello, viene a ser algo así:

¡ZZZZZZZZZZZZZ zzzzZZZZZzzzzzzzzzzzzzzzzzzz!

¡HHHH**HHHH**NNN NNNNNNNNNNCCC PPPPPPPPPFFFFF HHHHHHHHHHHHH H H H H H H H H H H H H H H H H H H H H H H H H H H H H H H H H H HHHHHHHnnHHH HHHHHHHHHnnnHHH RRRRRRnnnnnnccccccccc!

Era día de cole y Tina ya debería estar en clase, pero Zoe sabía que faltaba a menudo, y cuando no lo hacía entraba y salía del cole a su antojo.

Le tocaba enfrentarse cara a cara con su peor enemiga. Pero no había vuelta atrás. Todo lo que había en su habitación estaba cubierto por una gruesa capa de polvo a causa de sus excavaciones. Tan pronto como su madrastra abriera la puerta, todo se habría acabado y nunca más volvería a ver a Armitage.

En aquel instante, sin embargo, tenía la temible carota de Tina al otro lado del agujero. Zoe se quedó mirando los pelos sorprendentemente gruesos que le asomaban por las fosas nasales mientras trataba de decidir qué demonios hacer.

De pronto, se le ocurrió un plan. Si lograba atrapar la punta del nórdico de Tina, podría estirarlo con fuerza y hacer que la grandullona cayera rodando al suelo, momento que ella aprovecharía para colarse por el agujero, saltar por encima de Tina y escabullirse por la puerta de su habitación.

Entonces pensó que quizá debería revisar el riesgo de muerte de su plan y cambiarlo a «elevado».

En ese instante oyó a su madrastra en el pasillo, haciendo temblar el suelo bajo sus pies.

Tenía que pasar a la acción, no había tiempo que perder. Metió la mano por el agujero, respiró hondo y tiró con todas sus fuerzas del nórdico, que tenía un tacto seboso. Era como si nunca lo hubiesen lavado. El tirón fue suficiente para que Tina cayera rodando al suelo...

¡PAM!

¡PAM!

¡PATAPAM!

En el preciso instante en que oyó la llave girando en la cerradura de la puerta, Zoe se metió por el agujero de la pared como lo hubiese hecho una rata. Pero, a diferencia de las ratas, Zoe no tenía bigotes, y aunque era más bien enclenque, había subestimado su tamaño. Se quedó atascada, con la mitad del cuerpo dentro y la otra mitad fuera. Por más que lo intentara, no podía avanzar ni retroceder un solo milímetro. Tina, que por supuesto se había despertado con todo el jaleo, no parecía de muy buen humor. Estaba más furiosa que un gran tiburón blanco al que hubiesen insultado.

La grandullona se levantó despacio, miró a Zoe y empezó a tirar con fuerza de los bracitos de la niña, sin duda para atraerla hasta su habitación y así poder darle una buena tunda.

—¡Ya verás cuando te ponga las manos encima, canija! —bramó.

—Ah, buenos días, Tina —dijo Zoe, intentando implorar con el tono de voz que su vecina no reaccionara de un modo violento ante la insólita situación.

Mientras tanto, atraída por el alboroto, Sheila había entrado en la habitación de Zoe y agarrado a su hijastra por las piernas. La detestable mujer tiraba de la pequeña con todas sus fuerzas.

—¡Ven aquí! ¡Como te pille, te vas a enterar! —gritó la mujerona.

—Buenos días, madrastra —dijo Zoe, volviéndose a medias. Una vez más, su tono dicharachero no sirvió para apaciguar a Sheila, que la sujetaba por los tobillos.

Y entonces empezaron a zarandearla de aquí para allá a través del agujero.

—¡Uuuy! —gritaba cuando tiraban de ella hacia atrás—. ¡Aaay! —gritaba cuando tiraban de ella hacia delante.

Y al poco parecía que estuviera cantando un estribillo machacón:

—¡Uuuy, aaay! ¡Uuuy, aaay! ¡Uuuy, aaay! ¡Uuuy, aaay! ¡Uuuy, aaay! ¡Uuuy, aaay! ¡Uuuy, aaay! ¡Uuuy, aaay! ¡Uuuy, aaay! ¡Uuuy, aaay! ¡Uuuy, aaay! ¡Uuuy, aaay! ¡Uuuy, aaay! ¡Uuuy, aaay! ¡Uuuy, aaay!

Hacia delante. Hacia atrás. Hacia delante. Hacia atrás.

Poco después, la pared empezó a resquebrajarse a su alrededor.

Tina era fortachona, pero la madrastra de Zoe tenía el peso de su parte. Por extraño que parezca, estaban bastante igualadas, y por eso mismo daba la impresión de que el tira y afloja no se acabaría nunca. Ambas tiraban con tanta fuerza de las extremidades de Zoe que, mientras gritaba, pensó que algo positivo sacaría de todo aquello: ganara quien ganase, sería un poco más alta que antes.

Se sentía como un juguete por el que se peleaban dos niños, y sabía que cuando eso pasaba, antes o después, el juguete acababa saltando por los

aires hecho trizas. Grandes trozos de escayola empezaron a desprenderse de la pared y a caer sobre
su cabeza.

—¡¡¡BAAAAAAAA
AAAAAAAAAAAAA
AAAAAAAAASTA
AAAAAAAAAAAA
AAAAAAAAAA
AAAAAAAAAA
AAAAAAAAAA
AAAAAAAAAA
AAAAAAAA!!!

—gritó Zoe.

Justo entonces, una grieta tremenda resquebrajó la pared.

¡CRAAAAAA
AAAAAAAAAA

AAAAAAAAA
AAAAAAAAA
AAAAAAAAA
AAACCCCCC!

De repente Zoe notó que toda la pared se venía abajo, y segundos después la vio desplomarse en medio de una densa polvareda.

¡¡¡¡¡¡¡CCCCC
AAAAAAAAA

AAAAAAAA
TAAAAAAA
PPPPPPPPP
UUUUUUM!!!!!

AAAAAAA

AAAAAAA

PPPPPUUU

!

Hubo un gran estruendo, y lo único que Zoe veía a su alrededor era una inmensa nube blanca. Más o menos así:

21

Como el culo de un mandril

Parecía que hubiese habido un terremoto, pero por lo menos Zoe había recuperado sus brazos y piernas.

En algún punto de la gran nube de polvo que llenaba la habitación que ahora compartían, oía a Tina y a su madrastra tosiendo. Zoe sabía que aquella era su única oportunidad de escapar, así que echó a correr. No veía ni torta, y fue buscando a tientas el pomo de la puerta. Cuando lo encontró, tiró de él y salió corriendo al pasillo.

Estaba totalmente desorientada por la explosión de polvo, y solo entonces se dio cuenta de que corría por el piso de Tina, y que este era todavía más cutre que el suyo. No había muebles ni moqueta de los que opinar. El papel pintado se estaba despegando de las paredes y en todas partes olía a humedad. Daba la impresión de que vivían como okupas en su propio piso.

Pero no era el momento de plantearse una remodelación del piso, ni siquiera en quince minutos, como había visto hacer en un programa de la tele. Al cabo de unos instantes, Zoe encontró la puerta de la calle. Con su corazoncito latiendo más deprisa que nunca, intentó abrirla, pero las manos le temblaban tanto que no conseguía quitar el pasador.

Y entonces, de la nube de polvo que había a su espalda, surgieron dos siluetas fantasmagóricas, enormes y amenazadoras, todas blancas, salvo por las bocazas abiertas, que gritaban sin parar, y los ojos rojos de furia que parecían a punto de salirse de las órbitas. Hubiesen quedado que ni pintadas en una peli de terror.

—¡¡¡AAAAAAA YYYYYYYY!!! —gritó Zoe.

Entonces se dio cuenta de que eran Tina y su madrastra, ambas cubiertas de polvo blanco de la cabeza a los pies.

—¡¡¡AAAAAAA AAAYYYYYYYYY!!!
—gritó de nuevo.

—¡VEN AQUÍ! —bramó Sheila.

—¡TE HARÉ PAPILLA! —vociferó Tina.

Las manos de Zoe temblaban más todavía, pero se las arregló para abrir la puerta justo a tiempo. En el preciso instante en que salía, cuatro manos regordetas y cubiertas de polvo blanco trataron de retenerla y le dejaron la chaqueta hecha jirones. Sin saber muy bien cómo, Zoe consiguió escabullirse y se fue dando un portazo. Mientras corría por el rellano cayó en la cuenta de que las dos vías de salida de la gran torre inclinada, la escalera y el ascensor, acabarían llevándola a sus perseguidoras.

Entonces recordó que habían puesto unos andamios en la otra punta del bloque.

Con la esperanza de poder bajar de algún modo, se fue corriendo hasta allí. Abrió una ventana y se encaramó al andamio. Luego cerró la ventana por fuera. Una fuerte ráfaga de viento sacudió los delgados tablones bajo sus pies. Miró hacia abajo. ¡Treinta y siete plantas! Hasta los autobuses parecían diminutos, como coches de juguete. Zoe se sintió mareada. Empezaba a sospechar que todo aquello había sido muy mala idea.

A su espalda, Tina y Sheila aplastaban sus caras rabiosas contra el cristal y golpeaban la ventana con los puños.

Sin pensárselo dos veces, Zoe echó a correr pegada a la fachada del edificio mientras Tina y su madrastra se peleaban por ser las primeras en salir al andamio para darle alcance. Al final de la pasarela de madera había un largo tubo de plástico que bajaba directamente desde la planta treinta y siete hasta un gran contenedor. Zoe había pensado que parecía un tobogán del parque acuático, aunque en realidad servía para transportar los escombros de las obras de reparación del edificio hasta el suelo. El tubo era apenas lo bastante ancho para una niña menuda.

Al darse la vuelta, Zoe vio a Tina y a su madrastra a pocos pasos de distancia. Cogió aire y se metió en el tubo de un salto. Al instante se vio rodeada de plástico rojo, y resbalaba más deprisa de lo que hubiese imaginado, gritando como una posesa. Bajó y bajó y bajó. El tubo parecía no acabarse nunca. Zoe siguió cayendo en picado, ganando velocidad a medida que se acercaba al suelo. La pequeña nunca se había deslizado por un tobogán de agua, y al principio el vértigo de la bajada le resul-

tó divertido. Sin embargo, como no había agua en el tubo, el trasero se le fue calentando al frotarse contra el plástico y no tardó en ponerse rojo como el culo de un mandril.

Entonces, sin previo aviso, el viaje llegó a su fin y la pequeña cayó del tubo directamente al contenedor de escombros. Por suerte, al-

guien había tirado un colchón en su interior, aunque no estaba permitido hacerlo, y este le amortiguó la caída. Mientras su culete recalentado empezaba a refrescar, Zoe miró hacia arriba.

Allí estaba la mole humana de su madrastra, atascada en la boca del tubo, mientras Tina intentaba empujarla hacia abajo apretando con todas sus fuerzas el enorme trasero de Sheila. Pero por mucho que Tina apretara, el corpachón de la mujer era sencillamente demasiado grande para pasar por el tubo. Zoe no pudo evitar sonreír. Estaba a salvo, al menos de momento. Pero sabía que alguien a quien quería mucho corría un peligro de muerte. ¡Si no encontraba a Armitage enseguida, acabaría pulverizado!

22

Babas gratis

Solo cuando Zoe se vio reflejada en el escaparate de una tienda se dio cuenta de que, al igual que Tina y Sheila, estaba cubierta de polvo de la cabeza a los pies. Se había preguntado por qué todo el mundo se la quedaba mirando en la calle, y por qué los niños que iban en sus sillitas rompían a llorar en cuanto la veían, y por qué las madres embarazadas que empujaban las sillitas se apartaban de ella.

Frotó la esfera de su pequeño reloj de plástico para quitarle el polvo y comprobó que era casi la hora de almorzar. La furgoneta de Burt estaría aparcada delante del patio del cole, como siempre, y él estaría preparando sus repugnantes hamburguesas.

La polvareda se le había metido en la garganta y necesitaba beber algo como fuera, así que hizo un breve alto en el camino.

¡TILÍN!

—¡Aaah, señorita Zoe! —exclamó Raj—. ¿Ya es Halloween?

—Hum... no... —farfulló Zoe—. Es, hum... es el día sin uniforme en el cole, ya sabes, el día que puedes ir vestido como te dé la gana.

Raj observó con atención a la niña cubierta de polvo.

—Perdona, pero ¿de qué vas vestida?

—De Superpolvorina.

—¿Superpolvorina?

—Sí, Superpolvorina. Es una superheroína, por si no lo sabías.

—Nunca he oído hablar de ella.

—Pues es muy popular.

—¿Superpolvorina, dices? ¿Y cuál es su poder especial? —preguntó Raj, con sincera curiosidad.

—Se le da muy bien quitar el polvo —contestó Zoe, deseando que aquella conversación terminara cuanto antes.

—Ah, pues le seguiré la pista.

—Sí, creo que van a sacar una peli de Superpolvorina el año que viene.

—Seguro que será un gran éxito de taquilla —replicó Raj, que no parecía tenerlas todas consigo—. ¿A quién no le gusta ver a alguien quitando el polvo? A mí me fascina, desde luego.

—Raj, ¿me das algo de beber, por favor?

—Por supuesto, señorita Zoe. Para ti, lo que sea. Tengo unas botellas de agua ahí detrás.

—Con un vaso de agua del grifo me basta.

—No, no, faltaría más. Coge una botella de la nevera.

—Bueno, gracias.

—No hay de qué —dijo Raj sonriendo.

Zoe se acercó a la vitrina frigorífica y sacó un botellín de agua. Se la bebió casi toda de un trago, y luego se enjuagó la cara con lo que quedaba en la botella. Se sintió mucho mejor al instante.

—Gracias, Raj. Eres muy bueno conmigo.

—Eso es porque eres una niña muy especial, señorita Zoe. Y no solo porque seas pelirroja. ¿Me pasas el botellín vacío, por favor?

Pisoteando el polvo de yeso que había esparcido antes, Zoe devolvió la botella a Raj. Este se la llevó a la trastienda, que quedaba detrás de una cortina de plástico multicolor. Zoe oyó un grifo, y poco después Raj regresó y le tendió la botella llena de agua.

—Vuelve a dejarla en la nevera, si eres tan amable —dijo con una sonrisa.

—Pero si está cubierta de polvo, y además la he llenado de babas al beber.

—¡Y lo más maravilloso de todo, amiga mía, es que las babas no tienen ningún coste adicional! —exclamó Raj con aire triunfal.

Zoe se quedó mirando al quiosquero unos instantes y luego, obediente, devolvió la botella a su sitio.

—Hasta luego, Raj.

—Hasta luego, hum... Superpolvorina. ¡Y mucha suerte!

¡TILÍN!

La verdad es que Zoe se sentía un poquitín como una superheroína, aunque su poder especial fuera quitar el polvo. Sobre todo porque, al igual que los superhéroes, le tocaba enfrentarse a un malvado villano.

Se lanzó calle abajo, levantando a su paso una estela de polvo, y no tardó en avistar la furgoneta de Burt. Estaba aparcada donde siempre, delante del patio del cole, y había una cola de niños hambrientos esperando en la calle. Al acercarse desde la acera opuesta, Zoe vio que en ese lado de la furgoneta ponía CONTROL DE PLAGAS BURT.

«Qué extraño», pensó. Se escondió detrás del letrero del cole, abollado y lleno de pintadas, y esperó que sonara la campana. No podía arriesgarse a que la vieran en el colegio después de haber sido expulsada temporalmente. Eso haría que la expulsaran para siempre.

¡RRRriiiiiiiiiinnnnnnn
NNNNGGGGGGGGGGGG
GGGGGGGGGGGGGGGGGGGG!

Por fin sonó la campana, y Burt sirvió a su último cliente, echando un chorrito de su peculiar ketchup marrón sobre una hamburguesa de aspecto incomestible, como todas las suyas. Zoe cruzó la calle a la carrera y se escondió detrás de la fur-goneta, por el lado que daba al cole. Al mirar la inscripción, comprobó que por ese lado ponía HAMBURGUESAS BURT.

—Qué extraño es todo esto —se dijo Zoe en susurros. La furgoneta ponía HAMBURGUESAS BURT por un lado y CONTROL DE PLAGAS BURT por el otro.

Zoe no podía apartar los ojos del vehículo. ¡Aquel tarado usaba la misma furgoneta para cazar ratas y cocinar hamburguesas! Zoe no era una experta en la materia, pero estaba segura de que la Agencia de Seguridad Alimentaria no lo vería con buenos ojos. Como mínimo, le caería una bronca por escrito.

El motor de la furgoneta se puso en marcha, y Zoe se fue correteando hasta la parte de atrás, abrió la puerta sin hacer ruido y se subió de un salto. Una vez dentro, la cerró lo más discretamente que pudo y se tumbó en el frío suelo metálico.

Entonces la furgoneta arrancó y se fue, llevando a Zoe escondida en su interior.

23

¡La máquina pulverizadora!

Justo delante de las narices de Zoe se apilaban grandes sacos llenos de hamburguesas podridas de las que salían gusanos. Se tuvo que tapar la boca con la mano para no gritar, o vomitar, o ambas cosas a la vez.

La furgoneta cruzaba la ciudad a toda pastilla. Zoe notaba como rayaba otros coches al pasar, y oía los bocinazos de los demás conductores cada vez que se saltaba un semáforo en rojo. Se asomó a un ventanuco y comprobó horrorizada que iban sembrando el caos y el pánico a su paso, por no hablar de unos cuantos espejos retrovisores arrancados de cuajo. Burt conducía como un loco, y Zoe temió que los matara a ambos.

La furgoneta iba tan deprisa que, en un visto y no visto, estaban en las afueras de la ciudad, en un gran polígono industrial desierto donde enormes naves que parecían a punto de venirse abajo impedían ver el cielo. Poco después, la furgoneta se detuvo delante de una construcción especialmente ruinosa. Zoe miró hacia fuera por la ventanilla salpicada de grasa. Era como un gigantesco hangar.

La niña respiró hondo, y en cuanto Burt entró con la furgoneta en la nave industrial, todo quedó completamente a oscuras. Burt frenó de golpe, y en ese instante Zoe se apeó de un salto y se escondió debajo de la furgoneta. Intentando respirar sin hacer ruido, miró a su alrededor. Había jaulas y más jaulas, repletas de ratas y apiladas unas sobre otras. Debía de haber miles de animales allí dentro, esperando a ser pulverizados.

Junto a las jaulas había un barril lleno de cucarachas con una etiqueta que ponía sencillamente «Ketchup».

«Cómo me alegro de no haber probado nunca una hamburguesa de Burt», pensó Zoe. Aun así, tenía muchas ganas de vomitar.

En medio de la nave industrial había una vieja y sucia escalera de mano apoyada contra un artilugio gigantesco. «¡Eso de ahí tiene que ser la máquina pulverizadora!», pensó Zoe. Se veía vieja y oxidada, y parecía hecha con trozos de coches del desguace y piezas de viejas neveras y hornos microondas. Todas las partes de aquel enorme cacharro estaban unidas entre sí con cinta adhesiva.

Mientras Zoe observaba escondida debajo de la furgoneta, Burt se acercó a la máquina.

La parte principal del artefacto era un enorme embudo metálico que desembocaba en una larga cinta transportadora. Sobre esta colgaba un gigantesco rodillo de cocina. A continuación, había unos brazos metálicos que parecían salidos de viejos robots de cocina, y después venían unos cilindros que parecían trozos de antiguas cañerías, o quizá incluso del tubo de escape de un camión.

Si el ruido que hacían las ratas con sus chillidos era desquiciante, el estruendo de la máquina era infinitamente peor.

En cuanto Burt se acercó y tiró de la palanca de encendido (que en realidad era el brazo de un maniquí), el chirrido metálico del artefacto ahogó los lamentos de los roedores. La máquina traqueteaba y se sacudía como si estuviera a punto de venirse abajo.

Zoe espió a Burt mientras este se acercaba con paso lento y pesado a una jaula de ratas. Se inclinó, la recogió del suelo —debía de haber un centenar de ratas en su interior, ¿sería Armitage una de ellas?— y regresó a la escalera de mano despacio, bamboleándose a causa del peso. Sin prisa pero sin pausa, subió la escalera, peldaño a peldaño. Cuando llegó arriba se detuvo un momento, se tambaleó un poco y luego sonrió de un modo escalofriante. Zoe quería gritar para detenerlo, pero eso hubiese delatado su presencia.

Entonces Burt levantó la jaula por encima de su cabeza... ¡y echó las ratas a la máquina!

Los roedores se precipitaron al vacío y desaparecieron en el embudo, donde los esperaba una muerte segura. Una ratita pequeña, no mucho más grande que Armitage, se aferró a la jaula con uñas y dientes. Con una carcajada que ponía los pelos de punta, el malvado hombre apartó sus pequeñas garras de la rejilla metálica, y la ratita se hundió sin remedio en las entrañas de la máquina. Entonces se oyeron unos crujidos espantosos. ¡Era verdad que las pulverizaba! Por el extremo inferior del embudo salió la carne picada, que el enorme rodillo de madera se encargó de aplanar para que a continuación los brazos metálicos la cortaran en círculos. Luego los trozos de carne picada avanzaron por la cinta transportadora hasta caer en una mugrienta caja de cartón.

Ahora sí que Zoe tenía ganas de vomitar.

El terrible secreto de Burt había salido a la luz.

¿Adivináis cuál era su secreto? Eso espero, porque os he dado una pista como una catedral en el título de este libro.

Eso es: ¡Burt convertía a las ratas en hamburguesas!

Quién sabe, hasta puede que hayáis comido una de sus hamburguesas sin saberlo...

—¡Noooooooooooooooo! —gritó Zoe.

La pobre no pudo evitarlo, pero ya se había delatado, y eso era lo peor que podía pasarle.

24

Hamburguesa de niña

—¡Ja, ja, ja! —dijo Burt, pero no se reía.

Avanzó hacia Zoe a grandes zancadas, meneando la nariz en su dirección. Zoe temió que, al igual que las ratas, también ella corriera peligro de muerte.

—¡Sal de tu escondrijo, pequeña! —gritó el hombre—. Te he olido en la furgoneta. ¡Tengo olfato de sabueso, para las ratas, pero también para los niños!

Zoe salió rodando de debajo de la furgoneta y corrió hacia la puerta de la nave industrial, pero no tardó en comprobar que estaba cerrada a cal y canto. Burt debió de atrancarla después de entrar. El hombre despiadado siguió sus pasos sin prisa. Que Burt no se molestara en correr lo hacía todavía más aterrador. Sabía que Zoe no tenía escapatoria.

Zoe miró hacia las jaulas de las ratas. Debía de haber miles de pobres criaturas apiladas allí dentro. ¿Cómo demonios iba a encontrar al pequeño Armitage? No le quedaba más remedio que liberarlas a todas. Sin embargo, en ese momento el exterminador de ratas avanzaba en su dirección a grandes zancadas, y la nariz se le movía de un modo cada vez más frenético con cada paso que daba.

Sin apartar los ojos de él, Zoe avanzó pegada a la pared hasta la enorme puerta corredera y empezó a forcejear con el candado, tratando de escapar.

—¡No te me acerques! —gritó, tirando del candado, cada vez más desesperada.

—¿Qué harás si me acerco? —preguntó Burt con su voz jadeante, avanzando paso a paso. Estaba tan cerca que Zoe notaba su olor.

—¡Le contaré a todo el mundo que vendes hamburguesas de rata!

—No, no lo harás.

—Sí que lo haré.

—No lo harás.

—Sí que lo haré.

—Sí que lo harás —dijo Burt.

—¡No lo haré!

—¡Ajá! —exclamó Burt—. ¡Te pillé! Sabía que me traerías problemas en cuanto te vi en ese piso. Por eso te dejé subir a la furgoneta y te traje a mi escondrijo secreto.

—¿Lo sabías todo el rato?

—¡Oh, sí, reconocí tu olor enseguida! Y ahora te convertiré en una hamburguesa. Eso es lo que les pasa a los niños malos que meten sus naricillas donde no los llaman.

—¡Noooooo! —gritó Zoe, que seguía intentado abrir el viejo candado oxidado.

Burt había dejado la llave puesta, pero el mecanismo estaba tan duro que no podía girarla por más que lo intentara.

—Ja, ja —se burló Burt con su voz rasposa—. ¡¡¡Mi primera hamburguesa de niño!!!

El hombre intentó atraparla, pero Zoe logró esquivarlo, aunque la gran mano peluda de Burt atrapó un mechón de su pelo color zanahoria. La niña empezó a dar manotazos a ciegas, intentando que el cazador de ratas la soltara, pero entonces él dejó caer la otra mano sobre su hombro y lo apretó con fuerza.

Zoe le dio un sonoro bofetón, y las gafas de sol de Burt salieron volando y aterrizaron en el suelo.

—¡NO! —gritó el hombre.

Zoe lo miró a los ojos, pero no los encontró.

Allí donde debían estar sus ojos, solo había dos agujeros negros como el carbón.

—¡¡¡Aaaaaa RRRGGGHHH!!!

—gritó Zoe, aterrada—. ¡No tienes ojos!

—No, pequeña. Soy completamente ciego.

—Pero... no llevas un perro, ni un bastón, ni nada.

—No los necesito —replicó Burt, todo orgulloso—. Tengo esto. —Se dio unos golpecitos en la nariz—. Por eso soy el mayor cazador de ratas de todo el mundo, puede incluso que de todos los tiempos.

Por unos instantes, Zoe dejó de removerse. Estaba paralizada de terror.

—¿Qué? ¿Por qué?

—Precisamente porque no tengo ojos, querida, he desarrollado un olfato extremadamente sensible. Puedo oler una rata a kilómetros de distancia.

Y más si se trata de una ratita bebé tan mona como la tuya.

—Pero... pero... pero... ¡conduces esa furgoneta! —farfulló Zoe—. ¿Cómo puedes conducir siendo ciego?

Burt sonrió, enseñando su roñosa dentadura postiza.

—Conducir sin ojos no tiene ningún misterio. Me limito a seguir mi olfato.

—¡Acabarás matando a alguien!

—En los veinticinco años que llevo conduciendo, solo he atropellado a cincuenta y nueve personas.

—¡¿Cincuenta y nueve?!

—Lo sé, es una ridiculez. A algunos los tuve que rematar dando marcha atrás, eso sí.

—¡Asesino!

—Sí, pero si no los declaras, la compañía de seguros te mantiene la bonificación por buen conductor.

Zoe no podía apartar la vista de los dos agujeros que había en su cara.

—¿Qué demonios te pasó en los ojos?

Zoe sabía que algunas personas nacían ciegas, claro está, pero es que Burt ni siquiera tenía ojos.

—Hace muchos años trabajaba en un laboratorio de ensayos clínicos —empezó Burt.

—¿Un qué? —lo interrumpió Zoe.

—Me dedicaba a hacer experimentos con animales y todo eso, para investigaciones médicas. Pero cuando todos se marchaban yo me quedaba en el laboratorio, haciendo mis propios experimentos...

—¿Como cuáles? —preguntó Zoe, aunque estaba segura de que la respuesta le pondría la piel de gallina.

—Arrancarles las alas a los mosquitos, grapar la cola de un gato al suelo, colgar varios conejos de las orejas en una cuerda de tender... Solo quería divertirme un poco.

—¿Divertirte?

—Sí, divertirme.

—Eres un tarado.

—Lo sé —replicó Burt, orgulloso.

—Pero eso no explica que no tengas ojos.

—Paciencia, pequeña. Una noche me quedé en el laboratorio hasta muy tarde. Era el día de mi cumpleaños y, como regalo especial, había planeado sumergir a una rata en un baño de ácido sulfúrico.

—¡No!

—Pero, justo cuando iba a meterla en el líquido, el maldito bicho me mordió la mano. Con todas sus fuerzas. La misma mano con la que sujetaba el recipiente del ácido. El dolor me hizo sacudir la mano bruscamente, y entonces el ácido me fue a los ojos y se los comió. Solo quedaron las cuencas.

Zoe estaba muda de espanto.

—Desde entonces —continuó Burt—, he pulverizado todas las ratas a las que he podido echar el guante. Y ahora haré lo mismo contigo, porque has venido a meter las narices en mi negocio como una ratita más.

Zoe reflexionó unos instantes.

—Bueno —dijo con aire desafiante—, a mí me parece que has recibido tu merecido.

—No, no, no, bonita —dijo Burt—. Te equivocas. Mi merecido es lo que voy a recibir ahora, ¡cuando te coma!

25

Tirada en la cuneta

Zoe, que seguía peleándose con el candado, logró por fin girar la llave. Luego, siguiendo el ejemplo de la rata de laboratorio, se volvió bruscamente y clavó los dientes en el brazo de Burt con todas sus fuerzas.

—¡¡¡¡¡¡AAAAAAAAAAAAAAAAAAY YYYYYYYYYYYY!!!!!! —chilló el malvado hombre, y por instinto apartó su gran mano del hombro de Zoe, arrancándole de paso un gran mechón de pelo color zanahoria. Zoe abrió de un tirón la enorme puerta metálica de la nave y salió al polígono industrial.

No había un alma, y la luz mortecina de las farolas apenas alumbraba una calle ancha y desierta. Las malas hierbas asomaban entre las grietas del asfalto.

Sin saber adónde ir, Zoe se limitó a correr. Corría como alma que lleva el diablo. Corría tan deprisa que temía tropezar con sus propias piernas. Solo pensaba en poner toda la distancia que pudiera entre Burt y ella. Pero el polígono industrial era tan enorme que aún no veía la salida.

Sin atreverse a mirar atrás, oyó el motor de la furgoneta arrancando, y a Burt poniéndola en marcha. La perseguía un hombre ciego al volante de una furgoneta. Finalmente, se dio la vuelta y vio como, en lugar de salir por la puerta abierta, Burt se estrellaba contra la pared de la nave...

¡¡¡¡¡¡CCCCCCCRRRRRRRRRRRRRRRRAAAAAAAAAAAAAAAA

AAAAAAAAAAA CCCCCCCCCCCCC!!!!!!

El impacto no lo detuvo. Al contrario, la furgoneta aceleró y avanzaba cada vez más deprisa en su dirección.

Con los ojos entrecerrados, Zoe consiguió distinguir, al otro lado del parabrisas, los dos boquetes oscuros que un día habían ocupado los ojos de Burt. Justo debajo de ellos, su narizota se movía con frenesí. Era evidente que había programado aquel radar olfativo para buscar a la niña pelirroja.

La furgoneta iba derecha hacia ella, avanzando a marchas forzadas. Zoe tenía que hacer algo si no quería acabar tirada en la cuneta como un animal atropellado.

Y deprisa.

Salió disparada hacia la izquierda y, pegando un volantazo, Burt giró en la misma dirección. Luego

se fue hacia la derecha, y la furgoneta la siguió al instante, haciendo chirriar las ruedas. Detrás del volante, la malvada sonrisa de Burt se ensanchó. Le faltaba poco, cada vez menos, para conseguir su primera hamburguesa de niña pelirroja.

Entonces cambió de marcha y la furgoneta aceleró más aún, acortando la distancia que la separaba de Zoe. La niña corría tan deprisa como se lo permitían sus piernecillas. Vio unos cubos de basura un poco más adelante y, apilados junto a ellos, unos sacos olvidados. La mente le iba más deprisa incluso que las piernas, y se le ocurrió un plan...

Saltó por encima de los cubos y cogió un saco especialmente pesado. Cuando la furgoneta se precipitó en su dirección, lanzó el saco al capó y, en el instante en que este se estrelló contra el vehículo, soltó un grito escalofriante, como si la furgoneta la hubiese atropellado.

–¡¡¡¡¡¡Aaaaa aaaayyy!!!!!!

Entonces Burt puso la marcha atrás, sin duda con la intención de rematarla.

Cuando el motor rugió, Zoe lanzó un alarido. La furgoneta arrolló la bolsa por segunda vez.

Entonces Burt se apeó de la furgoneta de un salto y se puso a olfatear el aire meneando la nariz, tratando de localizar lo que creía ser el cuerpecillo de la niña. Zoe, mientras tanto, se alejó de puntillas, se escabulló por debajo de una alambrada, cruzó un terreno baldío y siguió corriendo sin mirar atrás.

Cuando ya no pudo seguir corriendo, correteó, y cuando tampoco pudo corretear, siguió caminando. Mientras tanto, iba pensando, tratando de decidir qué hacer a continuación. Había visto a un hombre ciego conduciendo una furgoneta y ha-

ciendo hamburguesas de rata. ¿Quién iba a creer-
la? ¿Quién iba a ayudarla? Necesitaba desesperadamente que alguien la ayudara. Sola no podría
enfrentarse a Burt, ni en sueños.

¿Algún profesor, quizá? No. Al fin y al cabo, estaba expulsada temporalmente y le habían prohibido volver al colegio. El director la expulsaría para
siempre al instante si lo hacía.

¿Raj? Tampoco. Le aterraban las ratas. Había
echado a correr calle abajo solo de ver a una rata
bebé. Ni por todo el oro del mundo entraría en
una nave industrial repleta de ratas.

¿La policía? No. Ni locos se creerían la asom-
brosa historia de Zoe. Solo verían en ella a otra
niña de un barrio conflictivo a la que habían expulsado del cole y trataba de salvar su propio pellejo
inventándose un cuento chino. Desde que Zoe era
pequeña, la policía se limitaba a acompañarla a casa
y ponerla en manos de su malvada madrastra.

Solo había una persona que pudiera ayudarla en ese preciso instante.

Papá.

Había pasado mucho tiempo desde la última vez que se había comportado como un padre de verdad, desde que volvía a casa de trabajar y le daba a probar helados de sabores alucinantes o jugaba con ella en el parque. Pero Sheila estaba equivocada: papá sí la quería, siempre lo había hecho. Lo que pasaba es que estaba tan triste que no era capaz de demostrárselo.

Zoe sabía dónde encontrarlo.

En el pub.

Y eso era un gran problema, porque la ley prohíbe que los niños entren en los pubs.

26

El Verdugo y el Hacha

El papá de Zoe iba todos los días al mismo pub, un local de mala muerte en las afueras del barrio, con la cruz de San Jorge colgada sobre la puerta y un rottweiler de aspecto feroz atado fuera. No era lugar para una niña. De hecho, según la ley, solo los mayores de dieciséis años podían entrar allí.

Zoe tenía doce. Por si eso fuera poco, era bajita para su edad y parecía más pequeña todavía.

El pub se llamaba El Verdugo y el Hacha, y era aún menos acogedor de lo que sonaba.

Zoe pasó con mucho cuidado por delante del perro y se acercó a la ventana entreabierta del pub para mirar hacia dentro. Vio a un hombre solo que parecía su padre, desplomado sobre la mesa con una jarra de cerveza medio vacía en la mano. Se habría quedado dormido. Golpeó la ventana entreabierta, pero el hombre no se inmutó. Volvió a llamar con más fuerza, pero no hubo manera de despertarlo.

No le quedaba más remedio que infringir la ley y entrar en el pub. Cogió aire y se puso de puntillas para parecer un poquito más alta, aunque no había ni la más remota posibilidad de que alguien creyera que tenía edad para estar allí.

Cuando la puerta se abrió, varios tipos gordos y calvos con camisetas de la selección inglesa de fútbol volvieron los ojos en esa dirección, y luego los fueron bajando hasta dar con Zoe. Rara vez entraba una mujer en el pub, y mucho menos una niña.

—¡Largo de aquí! —gritó el encargado, que tenía la cara roja como un tomate. También tenía la cabeza monda y lironda, salvo por unos mechones de pelo a los lados y una coleta detrás. Lucía un tatuaje en el cráneo que ponía WEST HAM, como el club de fútbol. Bueno, en realidad no ponía eso, sino MAH TSEW. Era evidente que se lo había hecho él mismo delante del espejo, con tan poca maña que lo había escrito al revés.

—No —replicó Zoe—. He venido a buscar a mi padre.

—Me importa un rábano —bramó el encargado—. ¡Largo! ¡Fuera de mi pub!

—¡Como me eche lo denunciaré por servir alcohol a menores!

—¿De qué demonios me estás hablando? ¿Dónde has visto tú a un menor bebiendo alcohol?

Zoe cogió la cerveza de un viejo desdentado de la mesa más cercana y le dio un sorbo.

—¡Aquí mismo! —dijo con aire triunfal, antes de que el asqueroso gusto de la cerveza se esparciera por su lengua. De pronto, sintió ganas de vomitar.

El hombre de la cara roja y la coleta se había quedado bastante turulato con la aplastante lógica de Zoe, y por unos instantes no supo qué decir. Zoe se acercó a la mesa de su padre.

—¡PAPÁ! —gritó—. ¡¡¡PAPÁ!!!

—¿Qué? ¿Qué ocurre? —dijo él, despertándose sobresaltado.

Zoe le sonrió.

—¿Zoe? ¿Qué demonios estás haciendo aquí? No me digas que te ha enviado tu mamá.

—No es mi mamá, y no, no ha sido ella.

—Y entonces ¿qué haces aquí?

—Necesito tu ayuda.

—¿Para qué?

Zoe respiró hondo.

—Hay un hombre en una nave industrial de las afueras de la ciudad que, si no lo detenemos ahora mismo, va a convertir a mi mascota, una ratita, en hamburguesa.

El padre de Zoe puso cara de no creerse una sola palabra, y miró a su hija como si la niña se hubiese vuelto loca de remate.

—¿Que tienes una rata como mascota? ¿Hamburguesas? Venga ya, Zoe. —Papá puso los ojos en blanco—. ¡Me tomas el pelo!

Zoe miró a su padre a los ojos.

—¿Alguna vez te he mentido, papá? —preguntó.

—Bueno, hummm... pues...

—Esto es importante, papá. Piensa. ¿Alguna vez te he mentido?

Papá se lo pensó unos instantes.

—Bueno, dijiste que encontrarías otro trabajo...

—Y lo harás, papá, créeme. Lo único que tienes que hacer es no rendirte.

—Es verdad que me he rendido —reconoció papá, abatido.

Zoe miró a su padre, tan apaleado por la vida.

—Pues no debes hacerlo. ¿Crees que yo debería renunciar a mi sueño de tener mi propio espectáculo de animales adiestrados?

Papá frunció el entrecejo.

—No, claro que no.

—Pues hagamos un trato: ninguno de los dos olvidará sus sueños —dijo Zoe. Papá asintió sin demasiada convicción, y Zoe aprovechó para añadir—: Por eso necesito recuperar a mi rata. He estado adiestrándola, y ya sabe hacer un montón de trucos. Va a ser alucinante.

—Pero... ¿una nave industrial? ¿Hamburguesas? Todo eso suena un pelín rocambolesco.

Zoe miró directamente a los grandes ojos tristones de su padre.

—No te estoy mintiendo, papá, de verdad. Te lo prometo.

—Ya, bueno, pero... —farfulló el hombre.

—No, nada de peros, papá. Necesito tu ayuda. Ahora mismo. Ese hombre pretendía convertirme en hamburguesa a mí también.

Su padre tenía entonces una expresión horrorizada.

—¿Qué? ¿A ti?

—Sí.

—¿Además de a las ratas?

—Sí.

—¿A mi niña? ¿Que quería convertir a mi niña en una hamburguesa?

Zoe asintió, despacio.

Papá se levantó de la silla.

—¡Quién se habrá creído que es! ¡Le daré su merecido! Bien... deja que me tome una cañita más y luego nos vamos.

—No, papá. Tenemos que irnos ya.

En ese instante, el móvil de papá empezó a sonar. En la pantalla apareció el nombre «Bruja».

—¿Quién es?

—Tu mamá. Quiero decir, Sheila.

Así que papá había apuntado a Sheila en su lista de contactos como «Bruja». Zoe sonrió por primera vez en mucho tiempo.

Entonces se le ocurrió una idea terrible: ¡Burt podía estar con ella!

—¡No lo cojas! —suplicó.

—¿Cómo que no? ¡Me meteré en un buen lío si no contesto! —Papá pulsó una tecla del móvil—. ¿Sí, amor mío? —saludó en un tono afectuoso nada convincente—. ¿Tu hijastra?

La niña meneó la cabeza con fuerza.

—No, no, no la he visto... —mintió papá.

Zoe soltó un suspiro de alivio.

—¿Por qué? —preguntó su padre. Entonces se quedó a la escucha, y al cabo de unos instantes tapó el aparato con la mano para que Sheila no oyera lo que iba a decir—. Hay un señor de no sé qué empre-

sa de control de plagas en casa, y te está buscando.
Dice que va a devolverte a tu mascota, sana y salva.
Quiere dártela en persona, para que no le pase nada.

—Es una trampa —susurró Zoe—. Fue él quien
intentó matarme.

—Si la veo, te llamaré enseguida, amor mío.
¡Hasta lueguito!

Zoe oía a su madrastra despotricando al otro lado
del teléfono cuando su padre colgó.

—Papá, tenemos que ir a esa nave industrial
ahora mismo. Si nos damos prisa, quizá lleguemos
antes que él y podamos salvar a Armitage.

—¿Armitage?

—Así se llama mi mascota, la ratita de la que te
he hablado.

—Ah, vale. —Papá reflexionó unos instantes—.
¿Y por qué se llama así?

—Es una larga historia. Venga, papá, vámonos
ya. No hay tiempo que perder...

27

Un agujero en la valla

De la mano de Zoe, su padre se encaminó a la puerta del pub, rodeó al rottweiler y salió a la calle. Se quedó allí unos instantes, tambaleándose bajo el resplandor anaranjado de una farola. Luego miró a su hija a los ojos durante mucho rato, sin decir nada.

—Tengo miedo, cariño —dijo papá al fin.

—Yo también. —Zoe alargó la mano y cogió la de su padre con dulzura. Era la primera vez que se daban la mano desde hacía meses, quizá incluso años. Antes papá solía hacerle mimos y carantoñas, pero tras perder el trabajo se había encerrado en sí mismo y no había vuelto a salir—. Pero juntos podemos hacerlo —dijo Zoe—. Sé que podemos.

Papá se quedó mirando la manita de su hija, tan pequeña entre sus dedos, y una lágrima asomó a sus ojos. Zoe le sonrió para darle ánimos.

—Venga, vamos... —dijo.

Pronto corrían los dos por las calles iluminadas por las farolas, y los intervalos de luz y sombra se sucedían cada vez más deprisa.

—¿Y dices que ese chalado hace ratas con hamburguesas? —preguntó papá, casi sin aliento.

—No, papá, al revés.

—Ah, sí, claro. Perdona.

—Y tiene una nave enorme en un polígono industrial de las afueras de la ciudad —explicó Zoe, respirando con dificultad y tirando de su padre.

—¡Ahí es donde estaba la fábrica de helados! —exclamó papá.

—Pues queda muy lejos.

—Qué va. Cuando llegaba tarde cogía un atajo. Lo único que tenemos que hacer es cortar por aquí. Sígueme.

Papá cogió a Zoe de la mano y se escabulló por un agujero que había en una valla. Zoe no pudo evitar sonreír. ¡Aquello se ponía emocionante!

La emoción se desvaneció un poco cuando se dio cuenta de que se estaban colando en un vertedero.

Poco después, papá se abría paso entre pilas de basura que le llegaban hasta las rodillas, y hasta la cintura en el caso de Zoe. La niña apenas podía avanzar, así que papá la cogió en brazos y la subió a caballito como solía hacer cuando Zoe era pequeña y se iban los dos a pasear por el parque. Sus manos sujetaban las piernas de Zoe con firmeza.

Juntos atravesaron aquel mar de bolsas de basura, y no tardaron en avistar las naves industriales. Un inmenso cementerio de edificios desiertos, bañados en una luz fría.

—Ahí está la fábrica en la que yo trabajaba —dijo papá, señalando una de las naves industriales.

A un lado del edificio, un viejo y destartalado letrero ponía HELADOS RECHU ETE.

—¿«Rechuete»? —preguntó Zoe.

—¡Alguien le ha arrancado la «p»! —exclamó
papá, y los dos se echaron a reír—. Dios mío, hacía
años que no venía por aquí.

Zoe señaló otra nave industrial que ahora tenía un
agujero en la pared con la forma de una furgoneta.

—¡Ahí está la nave de Burt!

—Ya la veo.

—Venga, tenemos que salvar a Armitage.

Padre e hija entraron en el polígono bordeando
el edificio y se dirigieron al enorme boquete de la
fachada. Entraron en la nave e inspeccionaron su
interior, oscuro y profundo como boca de lobo. El inmenso edificio parecía desierto, a no ser por las
miles de ratas apiladas. Las pobres criaturas seguían amontonadas en jaulas a la espera de su cruel
destino: acabar convertidas en comida basura.

No había ni rastro de Burt. Debía de seguir en
el piso con la malvada madrastra de Zoe, esperan-

do que la niña volviera a casa para echarle el guante. Seguro que se relamía ante la idea de convertirla en una hamburguesa tamaño familiar.

Venciendo el miedo, Zoe y su padre se adentraron en la nave, y Zoe le enseñó la espeluznante máquina pulverizadora.

—Burt se sube a lo alto de esa escalera de mano y deja caer a las ratas en ese embudo gigante, y luego ese rodillo de ahí las aplasta, pobrecillas, y les da forma de hamburguesa.

—¡Dios mío de mi vida! —exclamó papá—. Así que es cierto.

—¿Qué te había dicho? —replicó Zoe.

—¿Cuál de estos pobres desgraciados es Armitage? —preguntó papá, mirando a los miles de roedores aterrados que se apretujaban en la gigantesca pila de jaulas.

—No lo sé —contestó Zoe, observando todos los morritos asustados que asomaban entre las re-

jas de las jaulas, apiladas unas encima de las otras.
Al verlos a todos allí, amontonados en una gran
torre de ratas, no pudo evitar pensar en el bloque
donde vivían papá, Sheila y ella.

«A pesar de todo —pensó Zoe—, las ratas lo
tienen peor que nosotros, porque a ellas las tritu-
ran para convertirlas en hamburguesas.»

—¿Dónde puede estar? —preguntó Zoe—. Tiene una naricilla monísima de color rosa.

—Lo siento, cariño, pero a mí todas me parecen
iguales —dijo papá, esforzándose por distinguir a
una rata con la nariz especialmente rosada.

—¡Armitage! ¡ARMITAGE! —gritó Zoe.

Todas las ratas se pusieron a chillar como locas.
No había una sola que no quisiera escapar de allí.

—No nos queda más remedio que soltarlas a
todas —dijo Zoe.

—Buen plan —comentó papá—. Bien, súbete a
mis hombros y abre la jaula de arriba del todo.

Papá aupó a la pequeña y la sentó en sus hombros. Luego, apoyándose en su cabeza, Zoe se puso en pie despacio.

Empezó a desenrollar los trozos de alambre que mantenían las jaulas cerradas. Yo las llamo jaulas, pero en realidad no eran más que rejillas de freidora.

—¿Qué tal va eso? —preguntó papá.

—Estoy en ello, papá, casi he conseguido abrir la primera.

—¡Esa es mi niña! —exclamó papá para animarla.

Sin embargo, antes de que Zoe pudiera abrir la primera jaula, la furgoneta de Burt, que ya parecía sacada del desguace, irrumpió en la nave industrial, llevándose por delante la enorme puerta metálica corredera, que salió volando por los aires...

¡¡¡¡¡¡CCAAAAA AAAAAAAAAAAAAA TAAAPLUUUUUUUUM!!!!!!!!!!

... y luego frenó bruscamente con un gran chirrido.

¡¡¡¡¡¡¡¡¡HHHHHHHH
HHHHHHHHHHH
IIIIIIIIIIIIIIIIIIIII
IIIiiiiiiiiiiiiiiiiiii
IIIIIIIIIIIIIIIIIIIII
IIIIIIIIIIIIIIIIIIIIII
IIIIIIIIIIIIIIIIIIIII
IIIIIIIIIIIIIIIIIIIIII
IIIIIIIIIIIIIIIIIIIII
IIIIIIIIIIIIIII!!!!!!!!!

Ahora sí que Zoe y su padre estaban en apuros...

28

Veneno para ratas

—¡Ya te tengo! —resolló Burt, bajándose de un salto—. ¿Quién está contigo, pequeña?

Papá miró a Zoe, nervioso.

—¡Nadie! —dijo.

—¡Es el inútil de mi marido! —anunció Sheila, apeándose por el otro lado de la furgoneta.

—¡¿Sheila?! —exclamó papá, horrorizado—. ¿Qué haces tú aquí?

—No he querido decírtelo, papá —explicó Zoe, bajando de los hombros de su padre al suelo—, pero la oí coqueteando con Burt...

—¡No! —exclamó papá.

Sheila les sonrió con aire desdeñoso.

—Sí, la pequeña comadreja tiene razón. Voy a fugarme con Burt en su furgoneta.

Pavoneándose, Sheila se fue hacia el exterminador de ratas y le dio la mano.

—Estamos hechos el uno para el otro.

—Sí, y para pulverizar ratas —añadió Burt.

—¡Oh, sí, nos encanta matar a alguna que otra alimaña de vez en cuando!

La pareja se dio un beso de los que te hacen revolver las tripas. A Zoe le entraron ganas de vomitar, desde luego.

—Aunque me gustabas más con el bigote, Burt —dijo la rechoncha mujer—. ¿Te lo dejarás crecer otra vez?

—¡Sois repugnantes! —gritó papá—. ¿Cómo podéis disfrutar matando a esas pobres criaturas?

—¡Cierra el pico, imbécil! —bramó Sheila—. ¡Esos bichos asquerosos merecen morir! —En-

tonces hizo una pausa y miró a su hijastra—. Por
eso me cargué a tu hámster.

—¿Que mataste a Bizcochito? —chilló Zoe con
lágrimas en los ojos—. ¡Lo sabía!

—¡Maldita bruja! —gritó papá.

Sheila y Burt soltaron una carcajada escalofriante a la vez, a cual más cruel.

—Pues sí, no quería a ese bicho repugnante en
mi piso, así que mezclé un poco de veneno para
ratas con su comida. ¡Ja, ja! —añadió la malvada
mujer.

—¿Cómo has podido hacer algo así? —gritó
papá.

—Oh, cállate de una vez. Solo era un hámster.
¡No podía con él! —replicó Sheila.

—Veneno para ratas, hummm... Una muerte
lenta y dolorosa... ¡Me gusta! —añadió Burt con
una risa entrecortada por su respiración jadeante—.
Les queda un regusto un poco raro, pero nada más.

Zoe se fue derecha hacia la pareja, dispuesta a acabar con ellos. Papá la retuvo.

—¡Zoe, no! No sabes de lo que son capaces.

—Papá tuvo que emplear todas sus fuerzas para impedir que la niña los atacara—. Escuchad, no queremos problemas —dijo, volviéndose hacia la pareja—. Lo único que os pedimos es que le devolváis a Zoe su mascota, y después nos marcharemos.

—¡Jamás! —replicó Burt—. Las ratas bebé son las más suculentas. La estaba reservando para nuestra primera cita, Sheila. Hummm...

Despacio, Burt hundió la mano en el bolsillo mugriento de su delantal.

—De hecho —añadió—, tengo a tu precioso Armitage aquí mismo...

Entonces sacó a la pequeña rata, sosteniéndola por la cola. ¡Así que la mascota de Zoe había estado allí todo el rato! Burt había atado las patitas delanteras y traseras de Armitage con alambre para que no pudiera escapar. Parecía un pequeño mago a punto de hacer un número de escapismo.

—¡Noooooo! —gritó Zoe al verlo así.

—¡Dará una hamburguesa pequeña, pero deliciosa! —dijo Burt, relamiéndose.

Sheila observó a la pequeña criatura que se balanceaba, suspendida en el aire, y luego se volvió hacia Burt.

—Te la puedes comer toda, amor mío —dijo—. Si no te importa, creo que prefiero las patatas fritas con sabor a cóctel de gambas.

—Tus deseos son órdenes, pichoncito.

El hombre ciego avanzó a trompicones hacia la máquina pulverizadora y tiró de la palanca. Un terrible chirrido resonó por toda la nave industrial. Despacio, Burt empezó a subir la escalera de mano que llevaba al embudo gigante.

—¡Suelta a esa rata! —le ordenó papá.

—¡Como si alguien te hubiera hecho caso alguna vez! ¡Eres un cero a la izquierda! —bramó Sheila.

Zoe forcejeó hasta que logró zafarse de papá y se fue corriendo tras Burt. ¡Tenía que salvar a Armitage! Para entonces el malvado hombre ya estaba a media escalera, y el pobre animal se retorcía desesperadamente entre sus dedos, chillando de puro pánico. Zoe cogió la pierna de Burt, pero él sacudió el pie con fuerza para quitársela de encima. Luego le dio una patada en la nariz con el tacón de la bota. Zoe cayó y se estrelló con fuerza en el suelo de hormigón.

—¡¡¡¡¡¡AAₐₐₐₐₐ ₐₐₐₐₐₐₐₐₐYYYYY YYYYYY!!!!!! —chilló.

Papá se fue hacia la escalera de mano y subió tras el exterminador de ratas. No tardó en darle alcance, y se enfrentaron en el último peldaño de la escalera, que se bamboleaba de un lado al otro en precario equilibrio. Papá cogió a Burt de la muñeca, tratando de obligarlo a soltar a Armitage.

—¡Ya que estás, echa a mi marido también! —se burló Sheila.

Sin querer, papá golpeó a Burt en la cara con el codo y le arrancó las gafas de sol. Cuando se econtró cara a cara con los dos agujeros que ocupaban el lugar de sus ojos, fue tal la impresión que retrocedió instintivamente y perdió el equilibrio. El pie le resbaló del último peldaño de la escalera y cayó hacia abajo, en dirección al embudo.

En el último momento, se las arregló para agarrarse al delantal de Burt, pero estaba tan pringoso que sus manos resbalaban.

—¡Por favor! —suplicó papá— ¡Ayúdame!

—Ni hablar. Te voy a echar de comer a los niños —dijo Burt con su voz rasposa y su risa entrecortada, despegando uno tras otro los dedos de papá de su delantal—. ¡Y luego le llegará el turno a tu hija!

—¡Eso es! ¡Échala a ella también! —aplaudió Sheila.

Todavía aturdida por el golpe, Zoe se puso a cuatro patas y gateó hasta la escalera de mano para ayudar a su padre. Sheila se apresuró a cortarle el paso; la cogió por el pelo y tiró de Zoe hacia atrás con brutalidad. Luego hizo girar a su hijastra agarrándola de los pelos y la lanzó por los aires.

Zoe subió, subió, subió...

Y luego bajó.

O mejor dicho, se desplomó.

—¡¡¡¡¡¡Aaaaaaaaa yyyyyyyyyyyyyyyyyyyyyy !!!!!! —gritó de dolor al dar con sus huesos en el suelo por segunda vez.

Aunque su melena de pelo rizado amortiguó la caída, al principio todo daba vueltas a su alrededor.

—¡Burt, quédate donde estás, que te ayudaré a acabar con él! —gritó Sheila.

Los dos hombres seguían forcejeando en lo alto de la escalera y parecían a punto de caer a la máquina de hacer hamburguesas. Despacio, aquella mole humana empezó a subir los peldaños de la escalera, que crujía bajo su formidable peso.

Todavía aturdida, Zoe abrió los ojos y vio a su madrastra balanceándose en lo alto de la escalera. La mujer intentaba apartar los dedos de papá del grasiento delantal de Burt. Uno a uno, se los doblaba hacia atrás mientras se desternillaba de risa ante la idea de hacer picadillo a su marido.

Sin embargo, Sheila estaba tan gorda que cuando se inclinó para doblar el dedo meñique del pobre, el único con el que seguía aferrándose al delantal, su peso hizo que toda la escalera se inclinara hacia delante.

–¡¡¡¡¡¡CCcCRRR CCCCRRRRRAAAAAAA CCCCCCCCCCCC!!!!!!

Burt y Sheila se precipitaron hacia abajo y cayeron de cabeza en la máquina pulverizadora...

Papá se las arregló en el último segundo para agarrarse con una mano al borde del embudo.

Armitage cayó a la máquina junto con el cruel exterminador de ratas. Nada podía impedir que la ratita acabara pulverizada...

29

Zapatillas afelpadas de color rosa

En ese preciso instante, mientras Burt caía al vacío, Armitage mordió el dedo del monstruo y, con un alarido, Burt se sacudió a la rata de un manotazo, lanzándola por los aires.

Armitage subió, subió, subió...

Y aterrizó en la mano extendida de papá.

—¡Lo tengo! —exclamó.

Papá se aferraba al borde del embudo con una mano y con la otra sostenía a Armitage, que chillaba con todas sus fuerzas, muerto de miedo.

Entonces se oyó un crujido estremecedor, y la malvada pareja fue engullida por la máquina.

Cuando pasaron por los rodillos, el artefacto hizo más ruido que nunca, como si estuviera a punto de explotar. Finalmente, la máquina escupió dos enormes hamburguesas.

De una asomaban las gafas de sol de Burt, con los cristales hechos trizas. En la otra se distinguían claramente las zapatillas afelpadas de color rosa de Sheila. Como hamburguesas, eran a cual menos apetecible.

HAMBURGUESA SHEILA

HAMBURGUESA BURT

—¡SOCORRO!

—gritó papá. Si nadie lo remediaba, también él acabaría convertido en hamburguesa.

Zoe volvió su atención hacia el embudo.

Su padre seguía agarrado al borde de la máquina pulverizadora con una mano grasienta mientras con la otra sostenía a Armitage.

Sus pies se balanceaban por encima de las cuchillas de la

máquina, que rozaban las puntas de sus zapatos produciendo un traqueteo parecido al que hace una hoja de papel cuando la acercas a las aspas de un ventilador.

Zoe se dio cuenta de que papá estaba resbalando. Con la mano embadurnada de grasa del delantal de Burt era imposible no hacerlo, de un modo lento pero imparable.

En cualquier instante, echaría el último aliento.

Y saldría de la máquina convertido en otra enorme hamburguesa.

Con la cabeza todavía dándole vueltas a causa del coscorrón, Zoe se arrastró por el frío suelo de hormigón de la nave industrial hasta la máquina pulverizadora.

—¡Apágala! —gritó papá.

Zoe corrió hacia la palanca lateral, pero por más que lo intentaba no lograba desplazarla ni un solo milímetro.

—¡Está atascada! —gritó.

—¡Pues entonces coge la escalera! —contestó papá.

Zoe buscó la escalera y la encontró tendida en el suelo.

—¡DATE PRISA! —gritó papá.

—¡HIIICCC! —chilló Armitage, enrollando su pequeña cola con fuerza en torno a la mano libre de papá.

—¡Vale, vale, ya voy! —dijo Zoe.

Con gran esfuerzo, la pequeña enderezó la escalera y subió los peldaños a toda prisa. Una vez arriba, se le fueron los ojos a la gigantesca máquina. Era como estar ante la boca de un monstruo. Las cuchillas metálicas parecían gigantescas fauces capaces de engullirte de un solo bocado.

—¡Ten! —dijo papá—. Coge a Armitage.

Zoe alargó el brazo para coger a la ratita de la mano de su padre. Aún tenía las patitas atadas con alambre. Zoe lo sostuvo contra el pecho y lo besó en la nariz.

—Armitage, Armitage, ¿estás bien?

Papá miró la conmovedora escena y puso el grito en el cielo.

—¡Olvídate de él! ¿Qué pasa conmigo? —chilló, desesperado.

—¡Ay, sí, perdona, papá! —dijo Zoe.

Metió a Armitage en el bolsillo superior de la chaqueta, se inclinó hacia delante y alargó las manos para ayudar a su padre, que pesaba lo suyo. Zoe se tambaleó en lo alto de la escalera y estuvo en un tris de caer de cabeza a la máquina.

—¡Cuidado, Zoe! —exclamó papá—. ¡No quiero arrastrarte conmigo!

Zoe bajó un par de peldaños y enroscó los pies alrededor de la escalera para anclarlos. Luego alargó los brazos hacia abajo, y con su ayuda papá logró ponerse a salvo.

Después de bajar la escalera, papá tiró de la palanca con fuerza, desconectó la máquina y se dejó caer en el suelo, agotado.

—¿Estás bien, papá? —preguntó Zoe, de pie junto a él.

—Tengo unos pocos rasguños —contestó él—, pero sobreviviré. Ven aquí. Tu viejo necesita un abrazo. Te quiero, ¿lo sabes?

—Claro, siempre lo he sabido, y yo también te quiero...

Zoe se tumbó junto a su padre y él la rodeó con sus largos brazos. Mientras lo hacía, ella sacó a Armitage del bolsillo y le desanudó las patitas. Juntos, se dieron un gran abrazo familiar.

Fue Armitage quien interrumpió la escena.

—¡Hiiic, hiiic! —chilló, y se puso a bailotear para llamar la atención de Zoe hacia la torre de jaulas en cuyo interior seguían cruelmente apretujadas todas aquellas pobres ratas.

—Creo que Armitage intenta decirnos alguna cosa, papá.

—¿El qué?

—Creo que quiere que liberemos a sus amigas.

Papá miró hacia arriba, hacia la interminable pila de jaula amontonadas que casi tocaba el techo de la nave industrial. Todas y cada una de aquellas jaulas estaba llena a rebosar de pobres ratas hambrientas.

—Sí, claro. ¡Casi me olvido!

Papá acercó la escalera de mano a las jaulas, subió hasta arriba y, con Armitage a salvo de nuevo en su bolsillo, Zoe trepó a sus hombros para alcanzar la hilera más alta.

—¡No vayas a caerte! —dijo papá.

—¡Tú sujétame los pies!

—¡No te preocupes, te tengo bien cogida!

Finalmente, Zoe logró abrir la primera jaula de la pila. Las ratas se precipitaron hacia fuera a trompicones, usando a la niña y a su padre como escalera para bajar hasta el suelo. Zoe no tardó en abrir todas las jaulas, y pronto había miles de ratas correteando como locas por el suelo de la nave industrial, disfrutando de la libertad recuperada. Entonces Zoe y su padre abrieron a golpes el barril de cucarachas, que se habían librado por los pelos de acabar convertidas en ketchup.

—Mira —dijo papá—. O mejor dicho, no mires. Eres demasiado pequeña para ver esto.

Como todos sabéis, queridos lectores, si alguien quiere asegurarse de que un niño vea algo, solo tiene que decirle exactamente eso.

Y Zoe miró, claro está.

Eran las hamburguesas recién hechas de Burt y Sheila. ¡Las ratas las estaban devorando! ¡Por fin se tomaban la revancha!

—Dios mío... —dijo Zoe.

—Por lo menos no dejarán ni rastro de las pruebas —dijo papá—. Venga, será mejor que nos vayamos de aquí.

Papá cogió a Zoe de la mano y juntos salieron de la nave industrial. Una vez fuera, Zoe miró la furgoneta abollada.

—¿Qué pasa con la furgoneta de Burt? Ya no va a necesitarla... —dijo.

—Ya, pero ¿para qué íbamos a quererla nosotros? —preguntó papá, mirando a Zoe con aire interrogante.

—Bueno —contestó Zoe—, tengo una idea...

30

Compañeras de habitación

El invierno dio paso a la primavera mientras Zoe y su padre restauraban la furgoneta. Solo quitar la roña incrustada en todas las superficies del vehículo, por dentro y por fuera, les llevó una semana. Hasta el volante estaba cubierto de mugre. Sin embargo, Zoe trabajaba con gusto, porque papá y ella lo hicieron casi todo juntos, y resultó mucho más divertido de lo que había imaginado. Papá estaba tan contento que no puso un pie en el pub en todo ese tiempo, algo de lo que Zoe se alegró mucho.

Solo había una pega: el dinero. Al estar en el paro, papá solo cobraba un pequeño subsidio, una miseria que apenas alcanzaba para darles de comer a los dos, no digamos ya para restaurar una furgoneta.

Por suerte, si algo no le faltaba al papá de Zoe era ingenio.

Rebuscando en el vertedero, había encontrado trozos de chatarra y piezas sueltas que le sirvieron para arreglar la furgoneta. Había rescatado de la basura un viejo congelador compacto que había reparado y en cuyo interior conservaba los polos. Un antiguo fregadero le fue que ni pintado para instalarlo en la parte de atrás de la furgoneta y lavar las cucharas de servir helado. Zoe encontró un viejo embudo en un contenedor que, con una manita de pintura y un poco de papel maché, padre e hija transformaron en un cucurucho de helado con el que adornaron el capó de la furgoneta.

Y finalmente quedó lista.

Su propia heladería ambulante.

Al día siguiente, Zoe podría volver a clase. Sin embargo, quedaba pendiente una gran decisión. Una elección fundamental. Un asunto de la máxima importancia.

Qué nombre poner en la furgoneta.

—Tendría que llamarse como tú —sugirió Zoe mientras retrocedía para admirar el resultado de su trabajo.

La furgoneta brillaba bajo el sol del atardecer en el aparcamiento del bloque de pisos. Papá sostenía una brocha y un bote de pintura en la mano.

—No, tengo una idea mejor —dijo con una sonrisa.

Papá alzó la mano y empezó a pintar algo en el lateral de la furgoneta. Zoe se lo quedó mirando, intrigada.

Primero escribió la palabra «Helados».

—Helados qué más, ¿papá? —preguntó Zoe, impaciente.

—Chissst... —replicó papá—. Ya lo verás.

Luego, abajo, dibujó una «A», después una «r».

Zoe no tardó en adivinar cuál era el nombre elegido.

—¡Armitage! —gritó, incapaz de reprimirse.

—¡Sí, ja, ja! —confirmó papá entre risas—. «Helados Armitage».

—¡Me encanta! —Zoe daba saltos de alegría.

Entonces papá añadió las letras que faltaban, sin dejarse ni una, hasta completar el nombre del pequeño roedor. Incluso se acordó de ponerle el puntito a la «i», porque, como todo el mundo sabe, los puntos son muy importantes.

—¿Estás seguro de que quieres que tu negocio se llame como Armitage? —preguntó Zoe—. Al fin y al cabo, solo es una ratita.

—Lo sé, pero sin él nada de esto sería posible.

—Tienes razón, papá. Es un bichito muy especial.

—Por cierto, nunca me has dicho por qué le pusiste Armitage —le recordó papá.

Zoe tragó saliva. Aquel no era el mejor momento que digamos para contarle a su padre que acababa de escribir el nombre de un váter en su reluciente heladería ambulante.

—Pues, verás... es una historia muy larga, papá.

—Tengo toda la tarde por delante.

—Ya. Bueno, quizá otro día. Te lo prometo. De hecho, será mejor que vaya a por Armitage. Quiero que vea lo que hemos hecho con la furgoneta.

Armitage había crecido lo suyo, y ya no cabía en el bolsillo de la chaqueta de Zoe, así que lo había dejado en el piso.

Muy emocionada, subió a toda prisa la escalera de la torre de pisos y se fue derecha a su habitación. Armitage correteaba en la vieja jaula de Bizcochito. Papá la había recuperado de la casa de empeños cambiándola por una caja familiar de bolsas de patatas fritas con sabor a cóctel de gambas que, milagrosamente, su difunta mujer había dejado intacta.

Por supuesto, la habitación de Zoe ya no era solo suya.

Desde que la pared se había venido abajo, era una habitación el doble de grande que compartía con otra persona.

Y esa persona era, cómo no, Tina Trotts.

El Ayuntamiento se había comprometido a reparar la pared siglos atrás, pero todo seguía igual.

Para sorpresa de Zoe, al entrar en la habitación, encontró a Tina de rodillas junto a la jaula, muy cariñosa, dándole mendrugos de pan a la ratita a través de las rejas.

—¿Qué haces? —preguntó Zoe.

—Ah, nada, he pensado que a lo mejor le apetecía picar algo... —dijo Tina—. Espero que no te importe.

—Ya me encargo yo, gracias —replicó Zoe, arrebatando el pan de las manos de Tina. Seguía desconfiando de todo lo que hacía la grandullona. Al fin y al cabo, era la misma que se dedicaba a lanzarle escupitajos a la cabeza todos los días cuando se iba al cole. No podía olvidar así como así todo el sufrimiento que le había causado.

—¿Sigues sin confiar en mí? —preguntó Tina.

Zoe se lo pensó unos instantes.

—Solo espero que los del Ayuntamiento vengan a reparar la pared cuanto antes —dijo al fin.

—A mí no me importa que siga así —dijo Tina—. La verdad es que compartir habitación contigo no está mal.

Zoe no contestó. Hubo un silencio incómodo, y Tina empezó a removerse, nerviosa.

«¡Maldita sea —pensó Zoe—, ¡tengo que dejar de sentir lástima por Tina Trotts!»

Lo que pasaba era que, en esas últimas semanas, Zoe había descubierto muchas cosas que no sabía sobre la vida de Tina. Como, por ejemplo, que su padre era un ogro que la abroncaba a grito pelado casi todas las noches. Que disfrutaba haciendo que su hija se sintiera una inútil, y Zoe se preguntaba si no sería por eso por lo que Tina se portaba igual con los demás. No solo con Zoe, sino con cualquiera que fuera más débil que ella. Era como una gran rueda que se alimentaba de la crueldad, y que seguiría rodando para siempre a menos que alguien la detuviera.

Pero por más que pudiera ponerse en la piel de Tina, seguía sin caerle bien.

—Hay algo que debo decirte —soltó Tina de sopetón, con ojos llorosos—. Algo que nunca le he dicho a nadie. Nunca jamás. Jamás de los jamases. Como vayas contándolo por ahí, te mato.

«Madre mía —pensó Zoe—. ¿Qué demonios puede ser? ¿Algún secreto inconfesable? ¿Tendrá Tina una segunda cabeza escondida bajo el jersey? ¿O es en realidad un chico llamado Bob?»

Pero no, queridos lectores. No era ninguna de esas cosas, sino algo mucho más alucinante...

31

Una rata rica y famosa

—Lo siento —dijo Tina, al cabo de un rato.

—¿Que lo sientes? ¿Es eso lo que nunca le has dicho a nadie?

—Pues... sí.

—Ah —dijo Zoe—. Ah, vale.

—¿Ah, vale? O sea, ¿que me perdonas?

Zoe miró a la grandullona y soltó un suspiro.

—Sí, Tina. Te perdono —dijo.

—De verdad que siento mucho haber sido tan cruel contigo —insistió Tina—. Es que... a veces estoy que me subo por las paredes. Sobre todo cuando mi padre... ya sabes. Cuando eso pasa, me entran unas ganas enormes de aplastar algo pequeño.

—Como yo, ¿no?

—Lo sé, y lo siento muchísimo.

Ahora Tina estaba llorando de verdad. Zoe empezaba a sentirse un poco incómoda; casi prefería que Tina le lanzara escupitajos a la cabeza. Rodeó a su compañera de habitación con los brazos y le dio un fuerte abrazo.

—Lo sé, lo sé —dijo la niña con dulzura—. Ni tú ni yo lo hemos tenido fácil en esta vida. Pero, escúchame... —Zoe secó las lágrimas de Tina barriéndolas delicadamente con los pulgares—. Tenemos que portarnos bien la una con la otra y hacer piña, ¿de acuerdo? Este sitio ya es lo bastante duro sin que tú te empeñes en amargarme la vida.

—O sea, ¿no podré volver a escupirte en la cabeza? —preguntó Tina.

—No.

—¿Ni siquiera los martes?

—Ni siquiera los martes.

Tina sonrió.

—De acuerdo.

Zoe le devolvió los mendrugos de pan.

—No me importa que des de comer a mi chiquitín. Puedes seguir.

—Gracias —dijo Tina—. ¿Le has enseñado algún truco nuevo? —preguntó, y le brillaban los ojos de ilusión.

—Sácalo de la jaula y te lo enseñaré —dijo Zoe.

Tina abrió la portezuela de la jaula con cuidado, y Armitage trepó a su mano tímidamente. Esta vez no la mordió, sino que se refrotó suavemente contra sus dedos.

Zoe sacó un cacahuete de una bolsa que había en un estante mientras su nueva amiga posaba a Armitage en la moqueta, todavía cubierta por una gruesa capa de polvo. Zoe le enseñó el cacahuete.

Armitage se levantó sobre las patas traseras y se puso a bailotear con mucha gracia, caminando hacia atrás, hasta que Zoe le dio el cacahuete. Entonces lo cogió entre las patas y se lo comió a mordiscos.

Tina aplaudió con ganas.

—¡Es increíble! —exclamó.

—Bah, eso no es nada —replicó Zoe, toda orgullosa—. ¡Fíjate en esto!

Con la promesa de un nuevo puñado de cacahuetes, Armitage dio una voltereta hacia delante y luego hacia atrás, ¡y giró como una peonza en el suelo, como si bailara break-dance!

Tina se quedó de piedra.

—Deberías llevarlo a ese programa de la tele en el que buscan nuevos talentos —sugirió.

—¡Eso me encantaría! —exclamó Zoe—. Armitage podría llegar a ser la primera rata rica y famosa del mundo. Y tú podrías ser mi ayudante.

—¿Yo? —preguntó Tina, sin acabar de creérselo.

—Sí, tú. En realidad, necesito que me ayudes con un nuevo truco que llevo algún tiempo planeando.

—Vaya, eso... ¡eso me encantaría! —farfulló Tina. Y luego añadió—: ¡Ostras! —como si acabara de acordarse de algo.

—¿Qué pasa? —preguntó Zoe.

—¡El concurso de talentos del cole!

Zoe no había vuelto a clase desde que la habían castigado con una expulsión de tres semanas, y en ese tiempo se había olvidado por completo del concurso.

—Ah, sí, el concurso que organiza la señorita Elianna.

—La Enana, sí. Tendríamos que presentar a Armitage.

—Nunca me dejarán volver al cole con Armitage. ¡Fue por él por lo que me expulsaron!

—Ya, pero en la última reunión de profesores y alumnos se habló de eso. Como el concurso de talentos se hace fuera del horario escolar, el director ha decidido hacer una excepción: se admiten mascotas.

—Bueno, no es un perro ni un gato, pero supongo que es mi mascota —razonó Zoe.

—¡Pues claro que lo es! Y no te lo pierdas: la Enana toca la tuba, la he oído practicando, ¡y lo hace fatal! Todo el mundo cree que solo lo hace porque quiere ligarse al director.

—¡Sí, se le cae la baba! —dijo Zoe.

Las dos chicas se echaron a reír. La sola idea de ver a alguien tan pequeño tocando un instrumento tan grande resultaba desternillante, ¡pero que pretendiera usar las notas graves de la tuba como método de seducción ya era para morirse!

—¡Eso tengo que verlo! —exclamó Zoe.

—Yo también —dijo Tina entre risas.

—Voy a llevar a Armitage abajo un momento para enseñarle algo, pero luego podemos pasar la tarde juntos, ¡practicando el nuevo truco!

—¡Me muero de ganas! —dijo Tina, muy emocionada.

32

Demasiado dulce de leche, la verdad

Bajar la escalera corriendo era más fácil que subirla y, antes de que la pintura se secara sobre la furgoneta, Zoe llegó abajo jadeando y le enseñó a Armitage el resultado de todo el esfuerzo que su padre y ella habían puesto en la remodelación. Entonces papá se subió a la furgoneta y abrió la ventanilla corredera. Zoe nunca lo había visto tan feliz.

—Bueno, tú serás mi primera clienta. ¿Qué le pongo, señorita?

—Hummm...

Zoe estudió los distintos sabores. Hacía muchísimo que no comía un helado, puede que incluso desde los tiempos en que su padre volvía corriendo de la fábrica con algún nuevo y extraño sabor para que ella lo probara.

—¿Cucurucho o vasito? —preguntó papá, que se sentía como pez en el agua en su nuevo trabajo.

—Cucurucho, por favor —dijo Zoe.

—¿Le apetece algún sabor en particular? —preguntó papá con una sonrisa.

Zoe se asomó a la vitrina frigorífica de la furgoneta, observó la larga hilera de sabores y se le hizo la boca agua. Después de pasar tantos años en la fábrica, papá preparaba unos helados espectaculares, para chuparse los dedos. Había:

Vainilla a los tres chocolates
Remolino de nata con fresas y avellanas
Dulce de leche, dulce de leche y más dulce de leche
Explosión de palomitas bañadas en tofe

Vainilla con tropezones de caramelo crujiente

Sorpresa de dulce de leche

Gominolas tutti frutti

Vainilla con frambuesa y tropezones de chocolate
negro

Cremoso de coco y doble de dulce de leche

Nata con trocitos de galleta y tropezones de
caramelo crujiente

Dulce de leche, dulce de leche, dulce de leche y más
dulce de leche

Remolino de tofe y crema de cacahuete

Pistacho y chocolate blanco

Tarta de plátano con megatropezones de dulce de
leche

Bomba de chocolate con corazón de caramelo

Batido de nubes

Vainilla con vetas de miel y tropezones de chocolate

Minihuevos de chocolate y frutos del bosque

Caracoles y brócoli

Dulce de leche, dulce de leche, dulce de leche, dulce de leche, dulce de leche, dulce de leche, demasiado dulce de leche, la verdad.

Era la colección de sabores de helado más alucinante del mundo entero. Sin contar el de caracoles y brócoli, claro está.

—Mmm... Todos tienen una pinta deliciosa, papá. Me cuesta decidirme...

El padre de Zoe se quedó contemplando su variada selección de helados.

—¡En ese caso, tendré que ponerte una bola de cada uno!

—De acuerdo —dijo Zoe—, pero el de caracoles y brócoli te lo puedes ahorrar...

—Como usted mande, señorita —contestó papá, inclinando la cabeza.

Zoe se reía mientras él iba apilando las bolas sobre el cucurucho, una encima de la otra, hasta ha-

cer un helado casi tan alto como ella. La niña suje-
tó el interminable helado con una mano, haciendo
equilibrios para no dejarlo caer mientras con la
otra sostenía a Armitage.

—¡No me lo puedo comer yo sola! —dijo entre
risas. Miró hacia el bloque de pisos y vio a Tina
asomada a la ventana de su habitación, en la planta
treinta y siete.

—¡TINA, BAJA! —gritó a pleno pulmón.

Pronto había montones de niños asomados a
las ventanas de sus pisos, preguntándose a qué venía tanto jaleo.

—¡VENID TODOS! —los invitó Zoe a gritos.

A algunos los conocía de vista, pero a la mayoría ni eso, por más que vivieran todos apretujados
en aquella inmensa y fea torre inclinada—. Bajad
todos y ayudadme a comer este helado.

En pocos segundos, cientos de niños con cari-
tas sucias e ilusionadas bajaron corriendo hasta el

aparcamiento y esperaron su turno para darle un buen mordisco al helado descabelladamente alto de Zoe. Al cabo de un rato, la niña dejó la torre de helado en manos de Tina, que se encargó de que ningún niño se fuera sin probarlo; sobre todo, los más pequeños.

Mientras el sol se ponía y las risas de los niños flotaban en el aire, Zoe se apartó del grupo con una sonrisa y fue a sentarse a solas en un murete cercano. Barrió la porquería del murete con la mano y, acercándose la mano con la que sostenía a Armitage, le plantó un besito en lo alto de la cabeza.

—Gracias —le susurró—. Te quiero.

Armitage ladeó la cabeza y la miró a los ojos con una sonrisa dulce y tierna.

—Hiiic. Hiiic hiiic hiiiiic —dijo él.

Que, por supuesto, en la lengua de las ratas significa «Gracias. Yo también te quiero».

Epílogo

—Gracias, señorita Enana, quiero decir, Elianna, por ese maravilloso solo de tuba —mintió el señor Grave.

Había sido sencillamente espantoso. Como un hipopótamo tirándose una traca de pedos.

La señorita Elianna bajó del escenario a trompicones, camuflada detrás del enorme y pesado instrumento musical.

—Tenga cuidado, señorita Elianna —añadió el señor Grave con tono preocupado.

—Gracias, director —dijo la señorita Elianna con una vocecilla apagada justo antes de tropezar y aterrizar entre bastidores. La tuba sonaba mejor al estrellarse contra la pared que cuando la tocaba.

—¡No ha sido nada! —gritó la señorita Elianna, atrapada debajo de una tuba más grande que ella.

—Ejem... Bien —dijo el señor Grave.

—Aunque no me vendría mal un boca a boca...

Por increíble que parezca, el señor Grave se puso todavía más pálido de lo habitual.

—A continuación —dijo, sin hacer caso de la profesora, sepultada debajo del ridículo instrumento de viento—, asistiremos al último número de nuestro concurso. ¡Demos la bienvenida a Zoe!

Se oyó un carraspeo entre bastidores.

El señor Grave consultó su chuleta.

—Ah, perdón... ¡Demos la bienvenida a Zoe y Tina!

El público aplaudió a rabiar, incluido papá, que estaba sentado en primera fila, todo orgulloso. A su lado estaba Raj, dando palmas como un loco.

Zoe y Tina salieron corriendo al escenario con chándales a juego y se inclinaron ante el público.

Luego Tina se acostó en el escenario mientras Zoe montaba a cada lado de su cuerpo lo que parecían pequeñas rampas hechas con cajas de cereales.

—Damas y caballeros, niños y niñas, ¡os pido un fuerte aplauso para el increíble Armitage! —dijo la pequeña pelirroja.

En ese instante, Armitage cruzó el escenario a toda pastilla, con un minúsculo casco en la cabeza y montado en una pequeña motocicleta de cuerda que papá había comprado en una tienda de segunda mano y luego había reparado.

Nada más verlo, todos cayeron rendidos a sus pies, excepto Raj, que se tapó los ojos, temblando de miedo. Aún no había superado su pánico a los roedores.

—Tú puedes hacerlo, Armitage —susurró Zoe. Cuando practicaban, a veces no subía por la rampa sino que pasaba de largo, lo que como espectáculo no era muy emocionante, que digamos.

Armitage se acercaba a la rampa, cada vez más veloz.

«¡Vamos, vamos, vamos!», pensó Zoe.

La ratita enfiló la rampa a la perfección.

«¡Bien!»

Armitage salió disparado...

Surcó el aire...

«¡Oh, no!», pensó Zoe.

Estaba perdiendo altitud demasiado deprisa. Si seguía así, no podría alcanzar el otro lado de la rampa.

Armitage fue bajando, y bajando, y bajando...

Zoe contuvo la respiración.

Y entonces aterrizó sobre la barrigota de Tina.

Rebotó, volvió a salir disparado... y cayó limpiamente en la rampa del otro lado.

Fue un momento mágico. Seguramente hasta pareció hecho adrede.

—Uf... —suspiró Tina.

—¡Hiiic! —exclamó Armitage, deteniendo la motocicleta con un giro elegante.

El público se puso en pie y les aplaudió durante una eternidad. Raj hasta se atrevió a echar un vistazo entre los dedos.

Zoe miró a Armitage, luego a Tina, y luego a su padre, que aplaudía como un poseso.

Y no pudo evitar sonreír.

Agradecimientos

Me gustaría dar las gracias a las siguientes personas, por orden de importancia:

A Ann-Janine Murtagh, mi jefa en HarperCollins. Te quiero, te adoro. Muchísimas gracias por creer en mí, pero por encima de todo, gracias por ser quien eres.

A Nick Lake, mi editor. Sabes que te considero sencillamente el mejor editor del mundo, pero desde aquí quiero darte las gracias por ayudarme a crecer NO SOLO como escritor, sino también como persona.

A Paul Stevens, mi agente literario. No te pagaría un diez por ciento más IVA por hacer unas pocas llamadas si no me sintiera sumamente afortunado por tenerte como representante.

A Tony Ross. Eres el ilustrador con más talento de la horquilla de precios que teníamos a nuestro alcance. Gracias.

A James Stevens y Elorine Grant, los diseñadores gráficos. Gracias.

A Lily Morgan, mi correctora. Un placer.

A Sam White, gerente publicitario. A Geraldine Stroud, directora del departamento publicitario. Gracias a ambos.

David Walliams

Montena